Level 1

Michael Koenig
Ute Koithan
Theo Scherling

in cooperation with
Hermann Funk

Klett-Langenscheidt

München

By
Michael Koenig, Ute Koithan, Theo Scherling
in cooperation with Hermann Funk
and with input from Birgitta Fröhlich, Maruska Mariotta, Petra Pfeifhofer

Editor: CoLibris Dr. Barbara Welzel, Göttingen
Illustrations: Theo Scherling, Munich; Yo Rühmer, Frankfurt
Layout: Andrea Pfeifer, Munich
Cover Design: Bettina Lindenberg, Munich

The authors and the publisher would like to thank all of our colleagues who reviewed, critiqued, piloted and offered invaluable suggestions during the development of geni@l klick.

German Textbook

Level 1

Textbook	606313
Audio CDs (for Textbook)	606315
Workbook	606314
Audio CDs (for Workbook)	606316
Teacher's Manual	606283
DVD	606290
Interactive Whiteboard Applications	606292
Test book with audio CD	606285
Intensive Trainer	606286
Glossary German-English	606287
Digitalized instructional tool kit	606284

Please visit our homepage at www.klett-usa.com

1. Auflage 1 7 6 5 4 | 2019 18 17 16

Typeface: kaltner verlagsmedien GmbH, Bobingen
Overall production: Print Consult GmbH, Munich

ISBN 978-3-12-606313-5

Willkommen bei geni@l klick!

Wir sind ...

Symbols used in geni@l klick German Textbook

 Listening text on CD
1.2 (here CD1, Track 2)

 Listening and pronunciation exercise on CD
1.6 (here CD1, Track 6)

 Act out dialogues

 Project

 Watch a video

 Grammar
⊃3 (see Nr. 3 in Grammar Section)

 Helpful hint

 Compare languages internationally

 Look for specific information

 Read quickly to glean information

Lerntipp
Nomen und Plural zusammen lernen!
Haus – Häuser

Learning tip

Und START!

Table of Contents

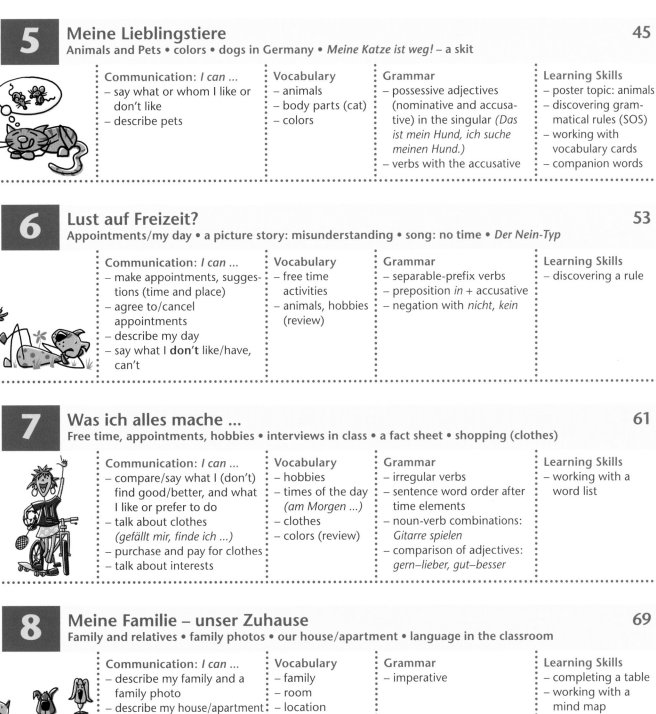

Dein Kursbuch

Euer Lehrer / Eure Lehrerin erklärt euch alles auf dieser Seite.

Der Anfang: Das lernst du im Kapitel.

12 Kapitel

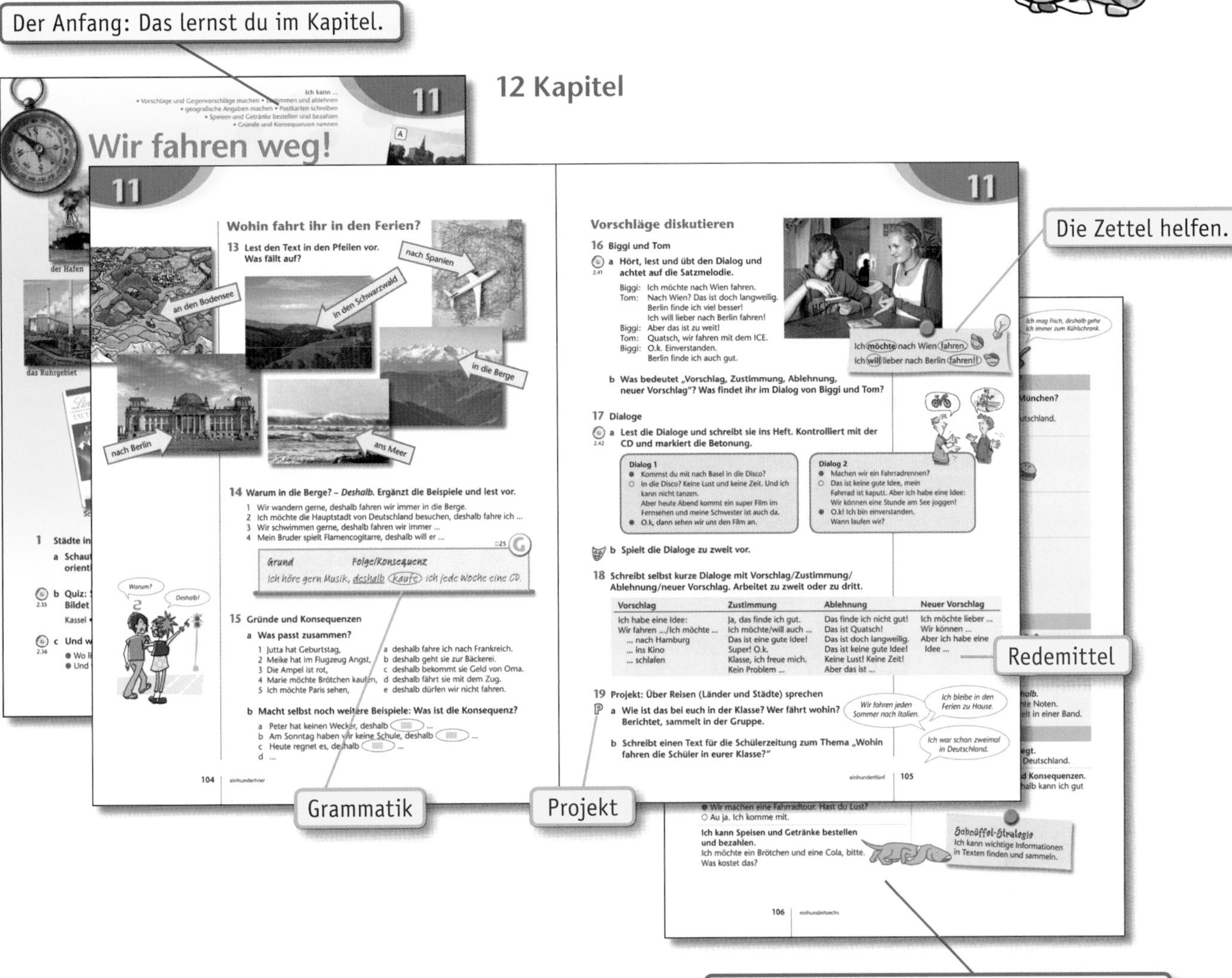

Das Finale: Das kannst du nach dem Kapitel.

3 Plateaus zum Wiederholen

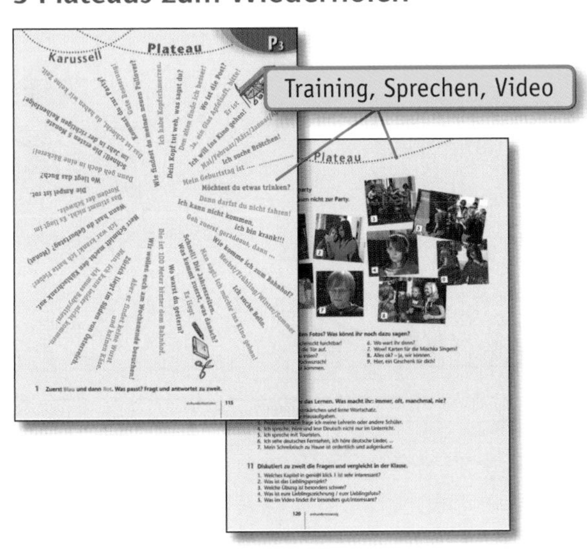

Grammatik

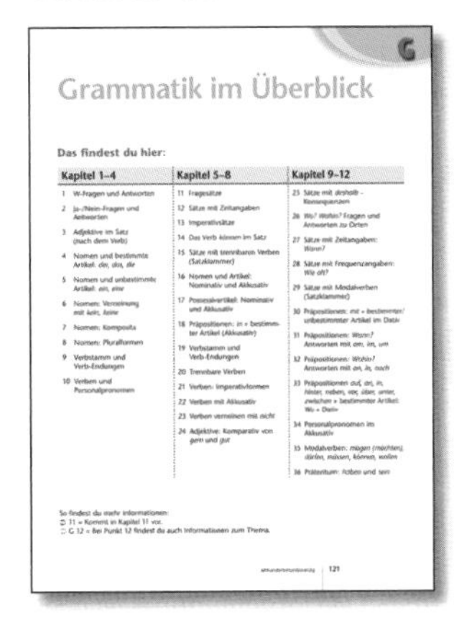

Wortliste

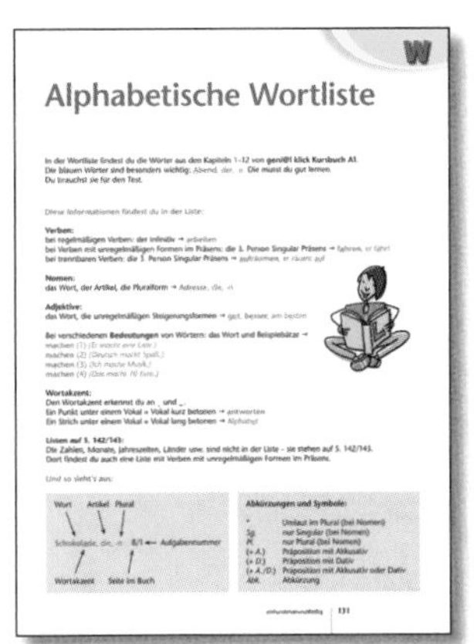

1

Ich kann ...
- nach Personen und Sachen fragen und antworten
- (Leute) begrüßen und verabschieden
- Wörter buchstabieren • die Zahlen 0–12

Was weißt du über

1
Das ist der Reichstag in Berlin.
2
Das ist Roger Federer.
3
Das ist die Band „Tokio Hotel".
4
Das ist der BMW Z4.
5
Das ist Albert Einstein.
6
TOBLERONE
Das ist Schokolade aus der Schweiz.

Wer ... das?
Wo ... das?
Was ... das?

1 Hört zu. Was ist das? Wer ist das? Wo ist das?

1.2

Wer ist das?	Das ist die Band „Tokio Hotel", ... Albert Einstein, ... Das ist Roger Federer aus der Schweiz. Keine Ahnung.
Was ist das?	Das ist Schokolade, ... der BMW Z4, ... das Snowboard von ... Das ist Sachertorte aus Österreich.
Wo ist das?	Der Reichstag ist in Deutschland, in Berlin. Das Matterhorn ist in der Schweiz.

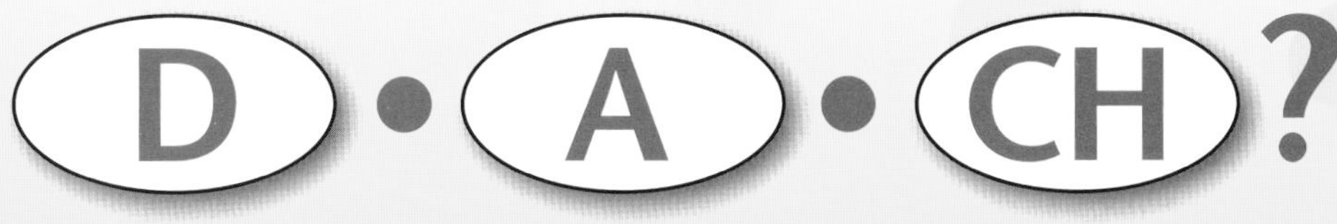

D • A • CH?

Das ist das Matterhorn in der Schweiz.
7
Das ist der Stephansdom in Wien.
8
9
Das ist der FC Bayern München.
10
Das ist das Snowboard von Mario.
11
Das ist Wolfgang Amadeus Mozart aus Österreich.
12
Das ist Sachertorte aus Österreich.

2 Hört zu und lest die Zahlen 0–12. Sprecht nach.

1.3

null, eins, zwei, drei, vier, fünf, sechs, sieben, acht, neun, zehn, elf, zwölf

3 Geräusche und Töne – Was ist das? Was passt zu den Fotos 1–12?

1.4

1 – Das ist Fußball! Das passt zu Foto 9!

Was passt zu Foto 6?

Keine Ahnung!

Hallo, wie heißt du?

4 Guten Tag! – Auf Wiedersehen!

1.5

a Hört und lest die Dialoge.

1
- ● Hallo, ich heiße Marco, und wie heißt du?
- ○ Mein Name ist Janine.
- ● Magst du „Tokio Hotel"?
- ○ Ja, und du?

2
- ● Hallo Luise.
- ○ Guten Tag, Sophie, wie geht's?
- ● Danke, gut, und dir?
- ○ Auch gut, danke.

3
- ● Hi Olli! Echt cool hier.
- ○ Oh ja! Guten Abend, Herr Schmidt.

4
- ● Tschüs, Sonja.
- ○ Tschau, Frau Maier.

5
- ● Auf Wiedersehen, Herr Müller.
- ○ Auf Wiedersehen, Tom. Bis bald.

b Spielt die Dialoge mit euren Namen.

Hallo, ich heiße ..., und wie heißt du?

Mein Name ist ...

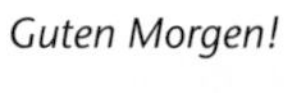
Guten Morgen!

Guten Tag!

Guten Abend!

Gute Nacht!

5 Rudi und Lara – Dialoge hören und sprechen

1.6

- ● Wie heißt du?
- ○ Wer, ich?
- ● Ja, du!
- ○ Ich heiße Rudolf, äh ... Rudi.
- ● Wie bitte?
- ○ Ich heiße Rudi, und du?
- ● Lara. Und wer ist das, Rudi?
- ○ Das ist Bello.
  Und wer ist das?
- ● Mieze.

6 Wortakzent

a Schreibt die Wörter ins Heft.

Bello • Schokolade • Hallo • Foto • Rudi • bitte • Lara • ist • Tschüs • Musik

b Hört zu und markiert den Wortakzent. 1.7

Bello – ...

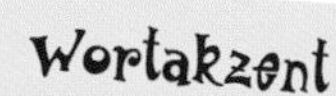

Wortakzent

lang: Schokolade

kurz: bitte

7 Das Alphabet: lesen, hören, üben ... und 1x mit Musik

1.8

A B C D E F G H I J K L M N
O P Q R S T U V W X Y Z Ä Ö Ü

a b c d e f g h i j k l m n
o p q r s t u v w x y z ä ö ü

Ää heißt a-Umlaut.
Öö heißt o-Umlaut.
Üü heißt u-Umlaut.

ß heißt eszett.

8 Wie bitte?

a Namen buchstabieren 1.9

- ● Ich heiße Bello.
- ○ Mieze.
- ● Wie bitte?
- ○ Mieze.
- ● Kannst du das buchstabieren?
- ○ M–I–E–Z–E.
- ● Aha.

b Schreibt 3–5 Namen. Diktiert und buchstabiert.

Chantal *Jenny*
Wolfgang *Felix*

Chantal.
Wie bitte? Kannst du das buchstabieren?
C–H–A–N–T–A–L.

Internationale Wörter

9 Was kennt ihr? Wie heißt das in eurer Sprache?

10 Projekt: Lernplakat „Internationale Wörter"
P Sammelt Wörter und macht eine Liste.

Sport	Musik	Technik	Essen und Trinken	Filme
Tennis				

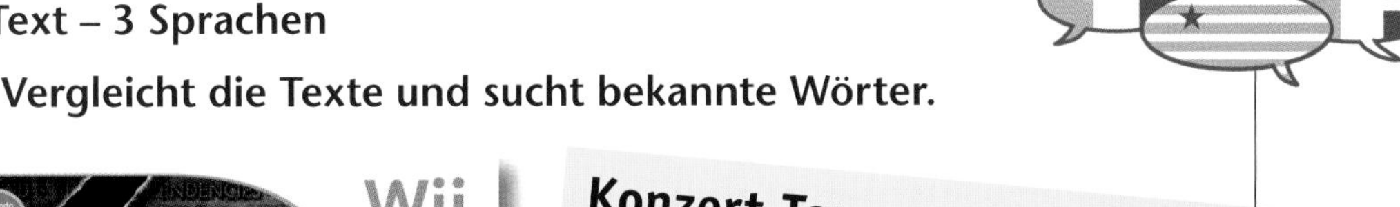

11 1 Text – 3 Sprachen

a Vergleicht die Texte und sucht bekannte Wörter.

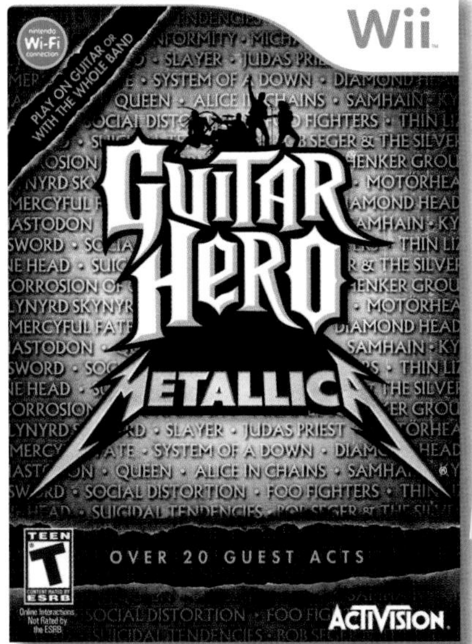

Konzert-Tournee *Metallica*

Superpünktlich zum Start der World Tour von *Metallica* erscheint das neue Musikvideospiel *Guitar Hero*. Am 6. Mai können *Metallica*-Fans im Hard Rock Café zum ersten Mal das Spiel ausprobieren. Dort trifft sich ab 12 Uhr der *Metallica*-Fanclub zum Warm-Up – und alle *Metallica*-Fans sind herzlich eingeladen.

Im neuen Teil der *Guitar Hero*-Serie erleben die Spieler die Energie einer der besten Bands aller Zeiten.

Guitar Hero Metallica erscheint am 22. Mai für Xbox 360, PlayStation 2, 3 und Wii.

Metallica on Tour

The new music video game, *Guitar Hero*, will be out just in time to coincide with the start of *Metallica*'s World Tour. On May 6th, *Metallica* fans can meet in the Hard Rock Café to try out the new game. From 12.00, the *Metallica* fan club will be there to welcome all *Metallica* fans. In this new part of the *Guitar Hero* series, the players will experience first-hand the energy of one of the best bands of all time.

Guitar Hero Metallica will be on the shelves from May 22nd for Xbox 360, PlayStation 2, 3 und Wii.

Tournée *Metallica*

Le nouveau jeu musical vidéo Guitar Hero sortira à temps pour le début de la tournée mondiale de *Metallica*. Le 6 mai, les fans de *Metallica* pourront essayer pour la première fois le jeu au Hard Rock Café. Le fanclub de *Metallica* s'y réunira à partir de midi pour un warm-up – et tous les fans de *Metallica* sont cordialement invités.

Dans la nouvelle partie de la série *Guitar Hero*, les joueurs vivront l'expérience de l'énergie de l'un des meilleurs groupes de tous les temps.

Guitar Hero Metallica paraîtra le 22 mai pour la Xbox 360, PlayStation 2, 3 et la Wii.

Lerntipp
Internationale Wörter helfen beim Verstehen!

b Welche Wörter kennt ihr? Markiert und notiert die Wörter im Lernplakat.

Konzert-Tournee
Metallica

Superpünktlich zum Start der World Tour von *Metallica* erscheint das neue Musikvideospiel *Guitar Hero*.

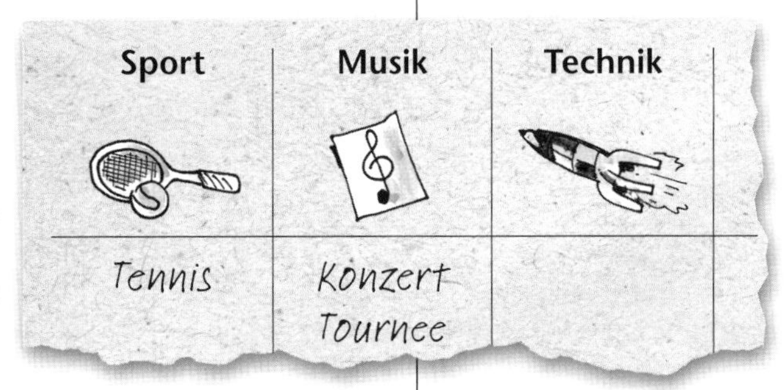

12 Deutsch hören

Welche Wörter versteht ihr? Notiert.

1.10

Das kann ich nach Kapitel 1

Wörter, Sätze, Dialoge	Übt zu zweit
Internationale Wörter Pizza, Cola, Chips, Hamburger, Action, Computer, Musik, Tennis, Konzert, Sport, Western, ...	**Ergänzt die internationalen Wörter.** Pi___, Cham___, Ham___, Sp___, Com___, Chi___, ...
Jemanden begrüßen/verabschieden Hallo! Guten Morgen. Guten Tag. Guten Abend. Auf Wiedersehen. Tschüs. Tschau. Gute Nacht.	**Begrüßen** H___! Guten M___. Guten T___! Guten A___.
Fragen und antworten ● Wer ist das? ○ Das ist Albert Einstein. ● Was ist das? ○ Das ist der BMW Z4. ● Wo ist das? ○ Das ist in Berlin.	**Wer? Was? Wo?**
Zahlen 0–12 null, eins, zwei, drei, vier, fünf, sechs, sieben, acht, neun, zehn, elf, zwölf	**Sagt die Zahlen auf Deutsch.** 0 1 4 6 7 9 12

Grammatik

Aussprache	Übt zu zweit
Das Alphabet A B C D E F G H I J K L M N O P Q R S T U V W X Y Z Ä Ö Ü	**A buchstabiert ein Wort. B schreibt.** es, te, a, er, te – Start!
Wortakzent Bello • Schokolade • Hallo • Foto • Rudi • bitte • Musik	**Markiert den Wortakzent.** Lara • Schokolade • ist • Tschüs • Musik • Hallo!

Mit Sprache handeln

Ich kann nach Personen und Sachen fragen und antworten.

● Hallo, ich heiße Marco, und du?
○ Ich heiße Biggi. / Ich bin Biggi.

● Wie heißt du?
○ Mein Name ist Sven.
● Wie bitte?
○ Sven.

● Wie geht's?
○ Danke, gut. Und dir?
● Auch gut, danke.

● Wer ist das?
○ Das ist Herr Schmidt.
● Aha!

Ich kann (Leute) begrüßen und verabschieden.

● Auf Wiedersehen, Biggi!
○ Tschüs, Marco!
● Tschau, bis bald!

● Grüezi, Rudi!
○ Servus, Lara!

Lerntipp
Internationale Wörter helfen beim Verstehen!

Ich kann ...
- nach Informationen zu Personen fragen und antworten
- sagen, woher ich komme
- sagen, welche Sprache(n) ich spreche

2

Die Medien-AG

Für die Medien-AG ist Film das Hobby Nummer 1. Sie filmen alles: beim Sport oder auf Partys. Sie filmen zu Hause oder in der Stadt, in den Ferien und in der Schule.
Jennifer ist die Technikerin und findet Computer toll. Mario ist ein cooler Typ. Er macht die Interviews. Die Kamerafrau ist Eva. Sie kann super filmen. Charlotte fotografiert alles und Felix kontrolliert die Lampen.

1 Wir und die Medien

1.11

a Hört zu. Worum geht es? Was versteht ihr?

b Sehen, lesen und verstehen: Wer ist wer? Nummeriert.

Jennifer: Foto ...

2 Was ist was? Hört, lest und ordnet die Szenen zu.

1.12

das Fußballspiel — die Party — der Schulweg — die Schule — der Park — das Abendessen

1) die Schule 2) ...

Hobbys von Mario, Eva und Jenny

3 Die Medien-AG stellt sich vor.

a Hört und lest. Was versteht ihr? (CD 1.13)

Hallo, ich heiße Mario Neumann. Ich bin 14 und komme aus Stuttgart und wohne jetzt in München. Ich gehe ins Elsa-Brändström-Gymnasium, in die Klasse 8a. Ich mag Sport: Ski fahren, Tennis spielen, und ich gehe gern schwimmen. Ach ja, ich mache gern Interviews. Schaut mal.

Mein Name ist Eva Schmidt. Ich bin auch in der Medien-AG. Ich mag Musik. Ich spiele Gitarre, ein bisschen Klavier. Ich kann surfen und tauchen. Ja, und ich filme gern.

Ich bin Jennifer Fischer. Meine Freunde nennen mich Jenny. Ich bin auch in der Klasse 8a. Ich bin die Technikerin in der Medien-AG. Ich bearbeite die Videos am Computer. Sport mag ich nicht.

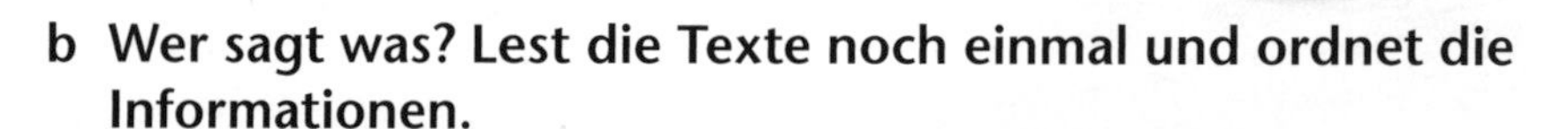

b Wer sagt was? Lest die Texte noch einmal und ordnet die Informationen.

Mario Neumann	Eva Schmidt	Jennifer Fischer
Ich mag ...	Ich spiele ... Ich ...	Ich bin die Technikerin.

~~... bin die Technikerin.~~ • ... fahre Ski. • ... mag Musik • ... bin 14. • ... gehe gern schwimmen. • ... surfe und tauche. • ... spiele Tennis. • ... arbeite am Computer. • ... spiele Gitarre.• ... komme aus Stuttgart. • ... wohne in München. • ... gehe in die Klasse 8a. • ... mag Sport. • ... mache gern Interviews.

Und wer bist du?
Ich bin Bello.
Ich heiße Lara.
Mein Name ist Rudi.

4 Fragt und antwortet zu zweit.

Wie heißt du?	Ich heiße ...
Wo wohnst du?	Ich wohne in ...
Was magst du?	Ich mag ...
Magst du Sport?	Ja. / Nein!

„Ich" oder „du"?

___ heiße Peter.
Wohnst ___ in Deutschland?
Wo wohnst ___?
___ spiele Gitarre.

5 **Projekt: „Ich-Texte"**
Macht ein Plakat wie im Beispiel.

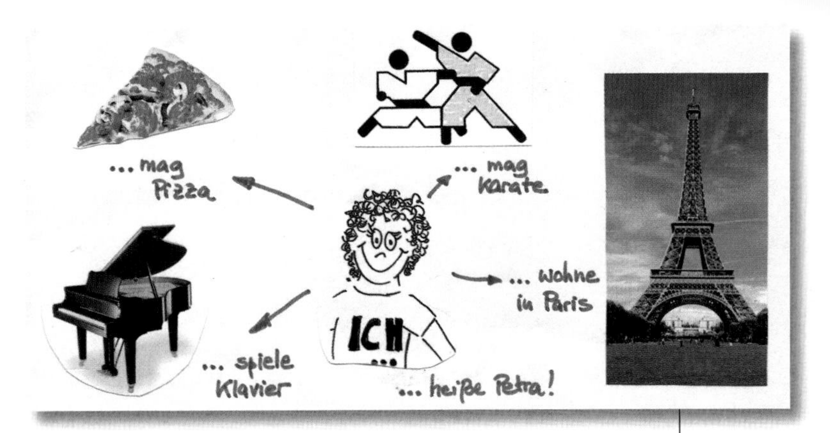

6 **Das ist Charlotte.**

a **Lest die zwei Texte, vergleicht die Verben und ergänzt die Regel im Heft.**

Ich heiße Charlotte. Ich wohne auch in München. Ich fotografiere gern. Ich mag Musik und ich spiele Fußball.

Sie heißt Charlotte. Sie wohnt auch in München. Sie fotografiert gern. Sie mag Musik und sie spielt Fußball.

Regel
Bei „ich" kommt ___,
bei „er/es/sie" kommt ___.
⚠ Bei „du" kommt *-st*.

b **Lest die Tabelle. Ergänzt Beispiele an der Tafel.**

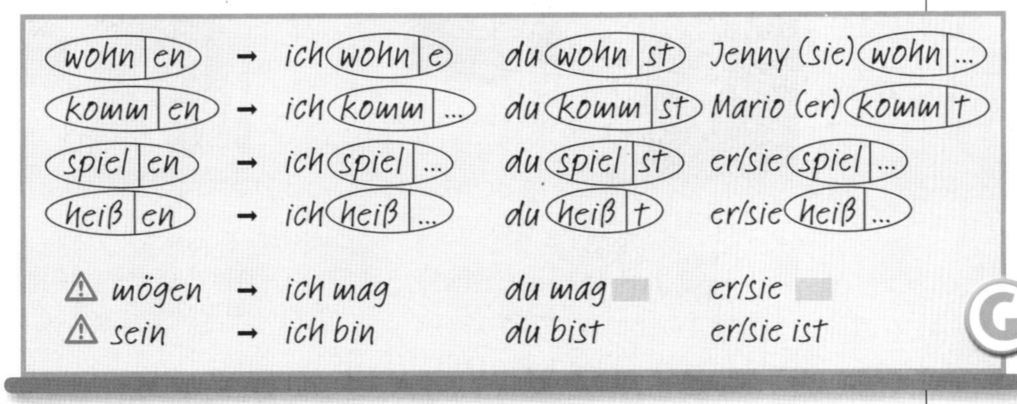

wohn | en	→	ich wohn | e	du wohn | st	Jenny (sie) wohn | ...
komm | en	→	ich komm | ...	du komm | st	Mario (er) komm | t
spiel | en	→	ich spiel | ...	du spiel | st	er/sie spiel | ...
heiß | en	→	ich heiß | ...	du heiß | t	er/sie heiß | ...
⚠ mögen	→	ich mag	du mag ___	er/sie ___
⚠ sein	→	ich bin	du bist	er/sie ist

G ➲ 9, 10

c **Mit Regeln arbeiten. Ergänzt die Dialoge 1–4.**

1
● Wohnst du in Berlin?
○ Nein, ich wohn ___ in Bern.
● Aha, wohn ___ Sabrina auch in Bern?
○ Nein, sie wohn ___ in Zürich.

2
● Spielst du Gitarre oder Klavier?
○ Ich spiel ___ Klavier. Aber der Musiklehrer spiel ___ Gitarre.

3
● Bist du in der Klasse 7a?
○ Nein, ich b ___ in der Klasse 7b.
● Und Mario?
○ Er ___ in der Klasse 8a.

4
● Wie alt ___ Ginger?
○ Er ___ zwei Jahre alt.
● Und du? Wie alt bist du?

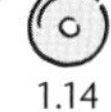
1.14

d **Kontrolliert mit der CD.**

e **Spielt die Dialoge zu zweit.**

Eine Klasse – viele Länder

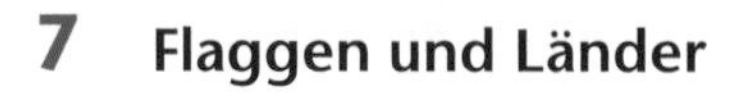

7 Flaggen und Länder

a Was passt zusammen? Ordnet zu.

A
B
C
D
E
F
G
H
I
J
K
L
M
N
O
P
Q
R

Spanien – Japan – Polen – Deutschland – die Türkei – Kanada – die Schweiz – die USA – China – Kenia – Russland – Frankreich – Albanien – Österreich – Ungarn – Griechenland – Brasilien – Italien – …

Ich mag Schweden!!!

1.15 **b Kontrolliert mit der CD.**

1.16 **c Hört die Ländernamen, sprecht nach und achtet auf die Betonung.**

8 Sprachen und Länder

a Woher kommen die Schüler?

Nazywam się Dagmara i chętnie uprawiam sport.

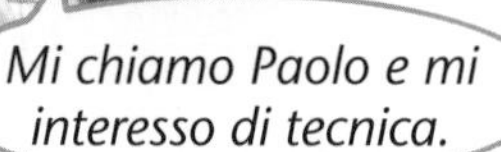
Mi chiamo Paolo e mi interesso di tecnica.

¡Me llamo Pedro y me gusta ver la tele!

Ágotának hívnak. Szívesen megyek a diszkóba.

Paolo / Ágotá / Dagmara / Marco	spricht	Spanisch / Ungarisch / Italienisch Polnisch / Deutsch / Französisch Türkisch / Englisch / …

Er/Sie kommt …
aus Spanien
aus Ungarn
aus Italien
aus Polen
aus der Schweiz
aus der Türkei
aus dem Iran
aus den USA

b Deine Klasse – Wie viele Länder? Wie heißen sie auf Deutsch?

Ich komme aus …
Ich komme aus Russland.

Gleich oder anders?

9 Aussprache international

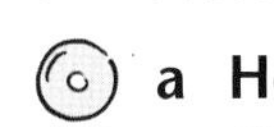

a Hört zu und vergleicht die Wörter. Wie sagt man das auf ...? Ordnet zu.

1.17

3. musique

4. musica

a. Englisch b. Italienisch c. Französisch d. Deutsch

b Hört zu und sprecht die Wörter laut.

1.18

Telefon Computer Tennis Restaurant Pizza Gitarre
Banane Schule Film Gruppe Klasse Foto

Ich mag Fisch. Und du?

10 Satzmelodie

a Hört zu und sprecht Dialoge wie im Beispiel.

1.19

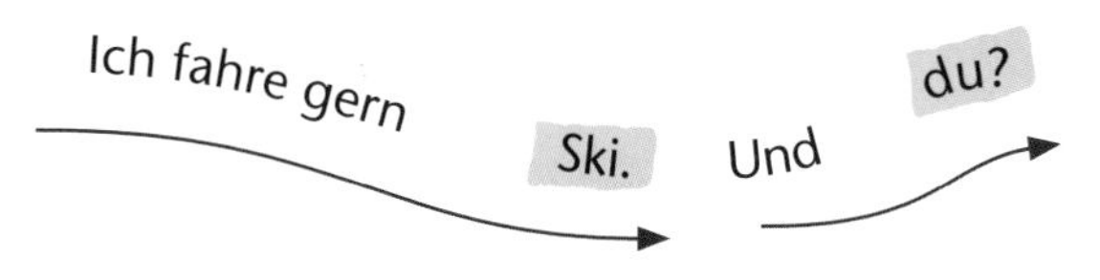

Ich auch. Ich nicht.

1. Ich spiele gern **Tennis**. Und **du**?
2. Ich höre gern **Musik**. Und **du**?
3. Ich spiele **Klavier**. Und **du**?
4. Ich wohne in der **Schweiz**. Und **du**?
5. Ich bin **zwölf**. Und **du**?

b Schreibt und spielt eigene Dialoge.

11 Antworten üben

1.20

Wo wohnst du?
In Frankfurt.
Ich wohne in Frankfurt.
FRANK
Woher kommst du?
Aus München.
Ich komme aus München.
Wie heißt du?
Katharina.
Ich heiße Katharina.

G ⊃1

Wer, was, wie, wo, woher?

12 Der www-Rap – Hört zu und singt mit.

1.21

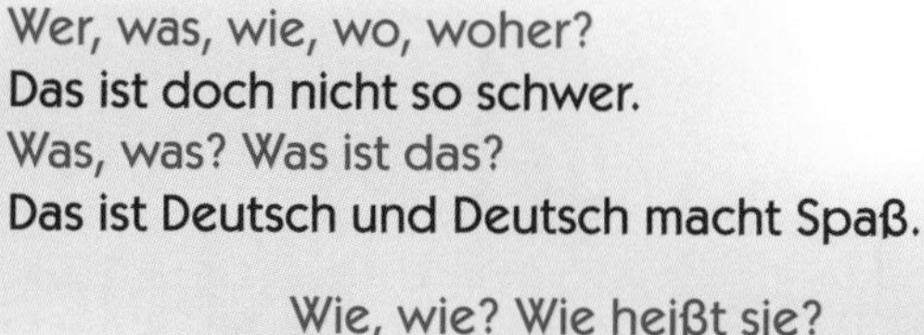

Wer, was, wie, wo, woher?
Das ist doch nicht so schwer.
Was, was? Was ist das?
Das ist Deutsch und Deutsch macht Spaß.

Wie, wie? Wie heißt sie?
Sie heißt Ruth und sie fährt Ski.
Wer, wer? Wer ist er?
Er heißt Paul und liebt sie sehr.

Wo, wo? Wo liegt Bern?
In der Schweiz, da bin ich gern.
Woher, woher? Woher kommt er?
Er kommt aus Wien, da kommt er her.

13 Die Medien-AG: W-Fragen zuordnen und vorlesen.

1. Wo wohnt Mario?
2. Was mag Mario?
3. Wer spielt Gitarre?
4. Wer ist die Technikerin?
5. Wer fotografiert gern?
6. Was spielt Charlotte?
7. Wer ist zwei Jahre alt?

a) Jenny ist die Technikerin.
b) Ginger ist zwei Jahre alt.
c) Charlotte fotografiert gern.
d) Mario wohnt in München.
e) Sie spielt Fußball.
f) Eva spielt Gitarre.
g) Mario mag Sport.

14 Ich wohne in M...! Stellt Fragen und antwortet wie im Beispiel.

1.22

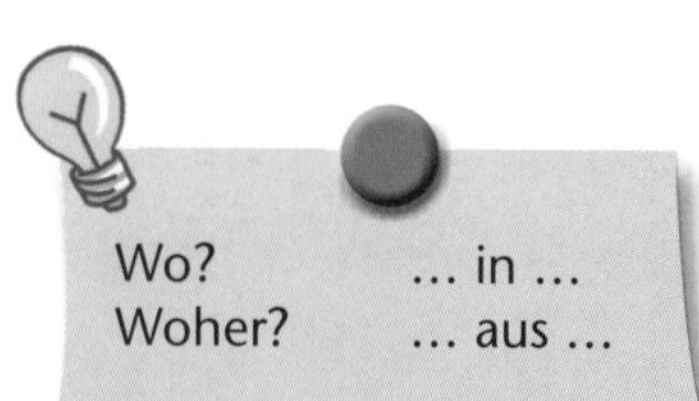

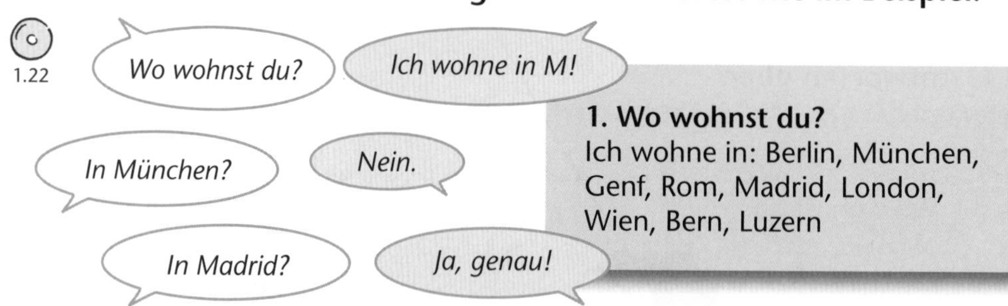

Wo wohnst du?
Ich wohne in M!
In München?
Nein.
In Madrid?
Ja, genau!

1. Wo wohnst du?
Ich wohne in: Berlin, München, Genf, Rom, Madrid, London, Wien, Bern, Luzern

2. Woher kommst du?
Ich komme aus: Deutschland, Italien, der Schweiz, Österreich, dem Iran, Spanien, England

3. Wie heißt du?
Ich heiße: Anna, Karin, Boris, Ulla, Michael, Hans, Karim, Michaela, Beate, Angela

4. Was magst du?
Ich mag: Tiere, Rap, Tennis, Computer, schwimmen, Pizza, Porsche, Cola

5. Was kannst du?
Ich kann: Gitarre spielen, Spaghetti kochen, Musik machen, Englisch sprechen, surfen, tauchen, Ski fahren, filmen

Eine Mail von Anne

15 Informationen zu W-Fragen finden

Wie heißt sie? (Name) Wie alt ist sie? (Alter)
Wo wohnt sie? (Stadt) Woher kommt sie? (Land)

Was kann sie? (Sprache, Instrument)
Was mag sie? (Sport, Musik, …)

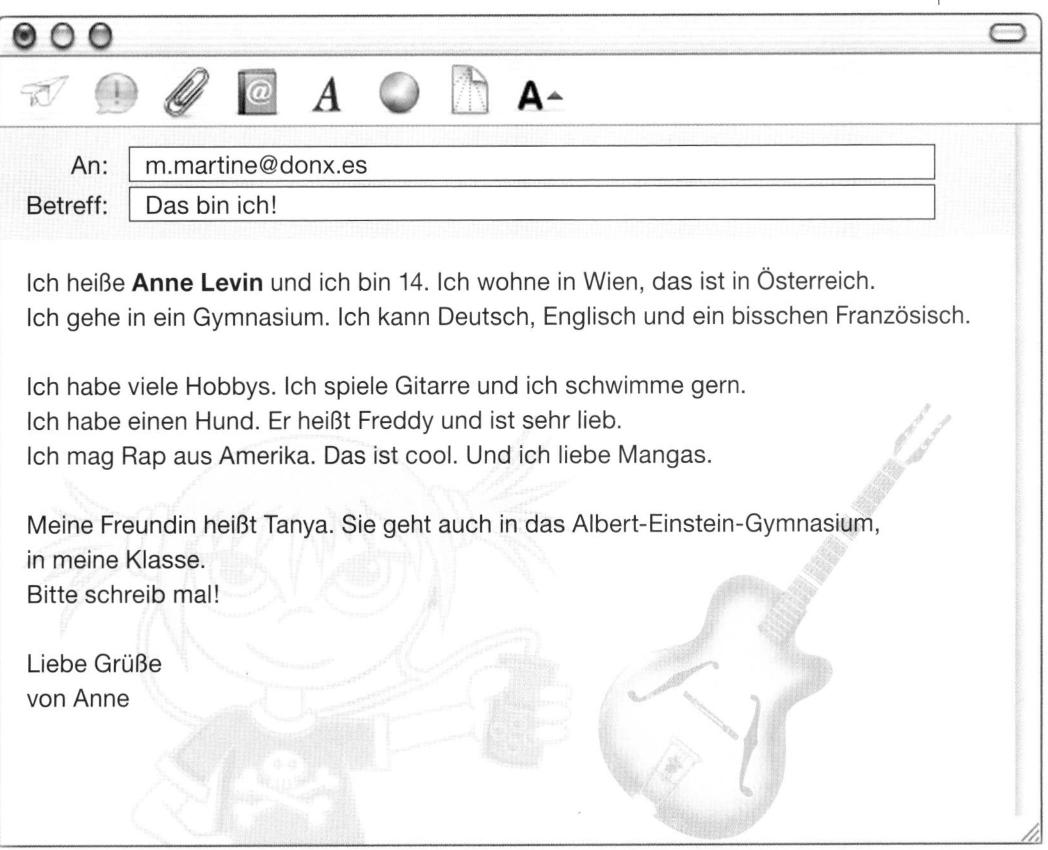

An: m.martine@donx.es
Betreff: Das bin ich!

Ich heiße **Anne Levin** und ich bin 14. Ich wohne in Wien, das ist in Österreich.
Ich gehe in ein Gymnasium. Ich kann Deutsch, Englisch und ein bisschen Französisch.

Ich habe viele Hobbys. Ich spiele Gitarre und ich schwimme gern.
Ich habe einen Hund. Er heißt Freddy und ist sehr lieb.
Ich mag Rap aus Amerika. Das ist cool. Und ich liebe Mangas.

Meine Freundin heißt Tanya. Sie geht auch in das Albert-Einstein-Gymnasium, in meine Klasse.
Bitte schreib mal!

Liebe Grüße
von Anne

16 Antwortet Anne und schreibt eine eigene E-Mail.

a Notiert wichtige Ausdrücke aus der Mail von Anne.

Sich vorstellen
Ich heiße …
Ich wohne in …

Ich heiße Lara.
Ich wohne in Jotwede.
Ich spreche Deutsch und Englisch.
Ich mag Musik und Sport.

b Schreibt die Mail.

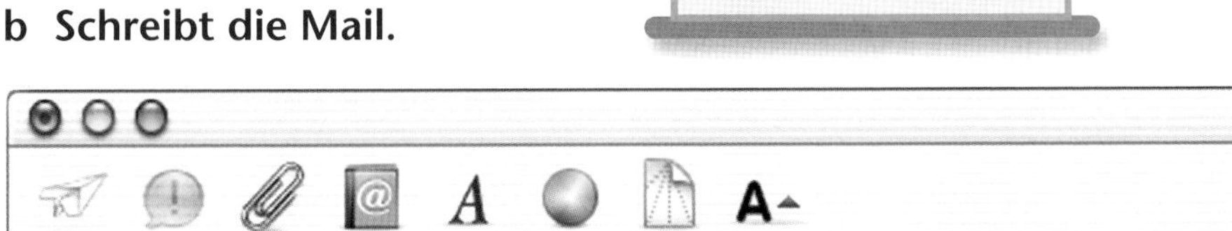

Liebe Anne,
ich heiße … Ich bin … Ich wohne in …

2

Ich mag schwimmen.

Das kann ich nach Kapitel 2

Wörter, Sätze, Dialoge	Übt zu zweit
Freizeit/Hobbys Sport: Surfen, Schwimmen, Fußball Musik: Klavier, Gitarre Sprachen: Deutsch, Englisch, Russisch, … Medien: Kamera, Computer, Internet	**1 Name, 5 Hobbys** Tom: Tennis, …
… du? / **Ich …** Wie heißt du? / Ich heiße … Wo wohnst du? / Ich wohne in … Woher kommst du? / Ich komme aus … Magst du (Sport)? / Ja. / Nein, ich mag … Kannst du das buchstabieren?	**2 Fragen, 2 Antworten** Wie …? Wo …? Woher …? Magst …? Kannst …? 

Grammatik	Übt zu zweit
ich, du, er, sie wohnen: ich wohne, du wohnst, er/sie wohnt kommen: ich komme, du kommst, er/sie kommt	**Andere Verben** spielen: ich spiele, du spielst, … sein: ich bin, du bist, …
W-Fragen Was magst/kannst du? Wo wohnst du? Woher kommst du? Wie heißt du? Wer ist das?	**Wie heißt die Frage?** Aus der Schweiz. Das ist Bello. Alexander. In Berlin.

Aussprache	Übt zu zweit
Wortakzent: Länder Polen, Italien, Russland, …	**10 Ländernamen richtig sprechen** *Spanien*
Satzmelodie Ich fahre gern **Ski.** ↘ Und **du?** ↗	**Satzmelodie – Sprecht Sätze.** esse / Pizza fahre / Rad spiele / Fußball lerne / Deutsch höre / Musik *Ich esse …*

Mit Sprache handeln

Ich kann nach Informationen fragen und antworten.

● Wer ist das?
○ Das ist …

● Was kann/mag …
○ Er/Sie …

● Woher kommt Timo?
○ Timo kommt aus ...

● Wo wohnt ...?

Ich kann über mich sprechen.

Ich komme aus …
Ich wohne in …
Ich spreche …
Ich …

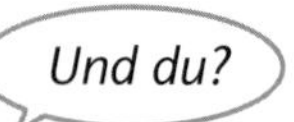

Ich auch. *Ich nicht.*

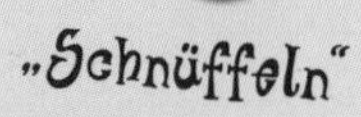

Selektives Lesen mit W-Fragen:
Wer? Wie? Wo? Was? Woher? …

Ich kann ...
- Schulsachen und Gegenstände in der Klasse nennen
- einfache Fragen stellen und auf Fragen antworten
- etwas verneinen

Mein Schulalltag

1 Ein Puzzle

a Was ist was? Ordnet zu.

B ist das Plakat.

b Sammelt noch mehr Wörter.

Wie heißt das auf Deutsch?

c Hört zu und notiert Wörter zum Thema „Klassenzimmer".

1.23

Meine Tasche

2 **Schulsachen. Seht das Bild an und lest die Wörter. Hört dann zu und zeigt auf das Wort.**

1.24

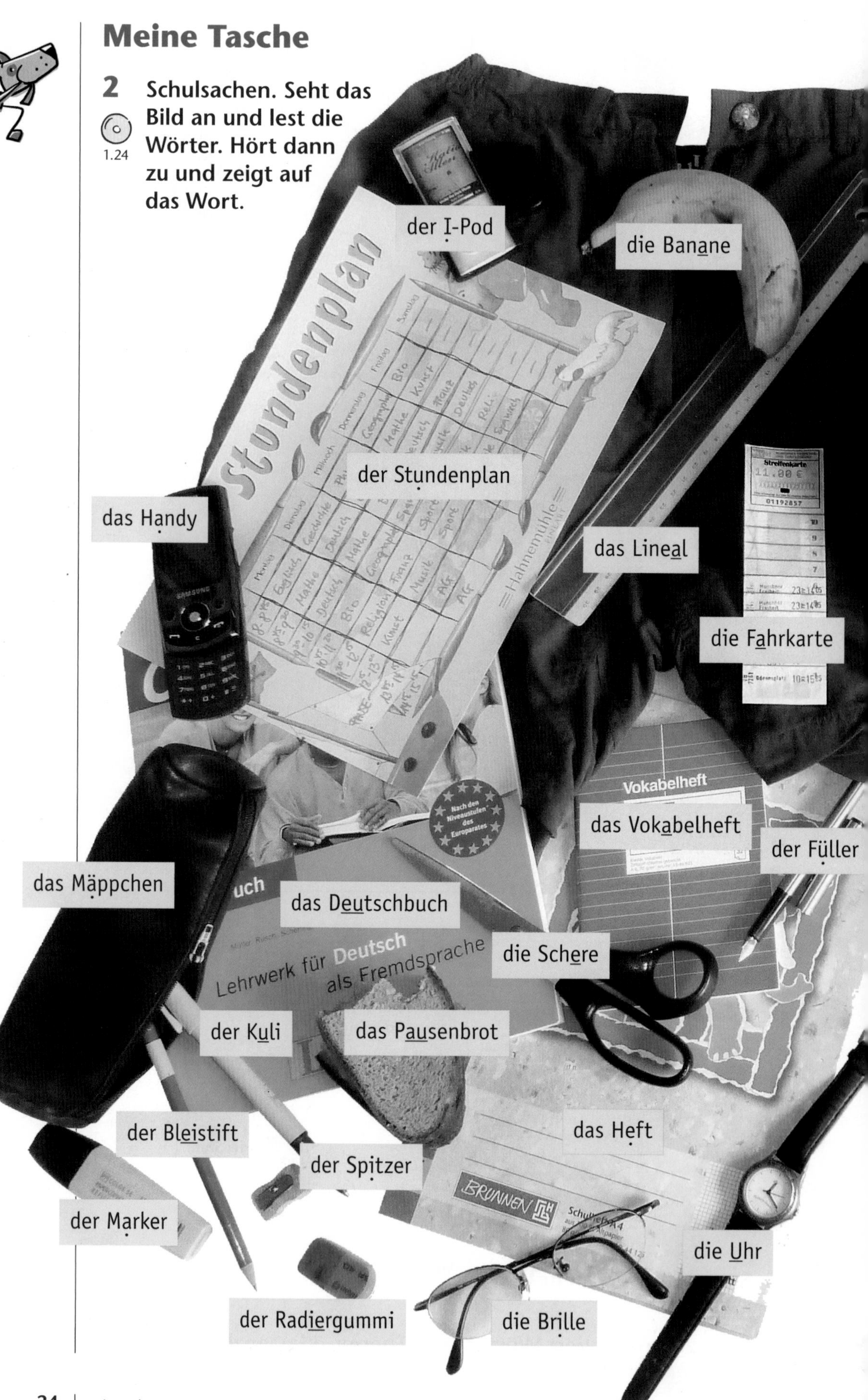

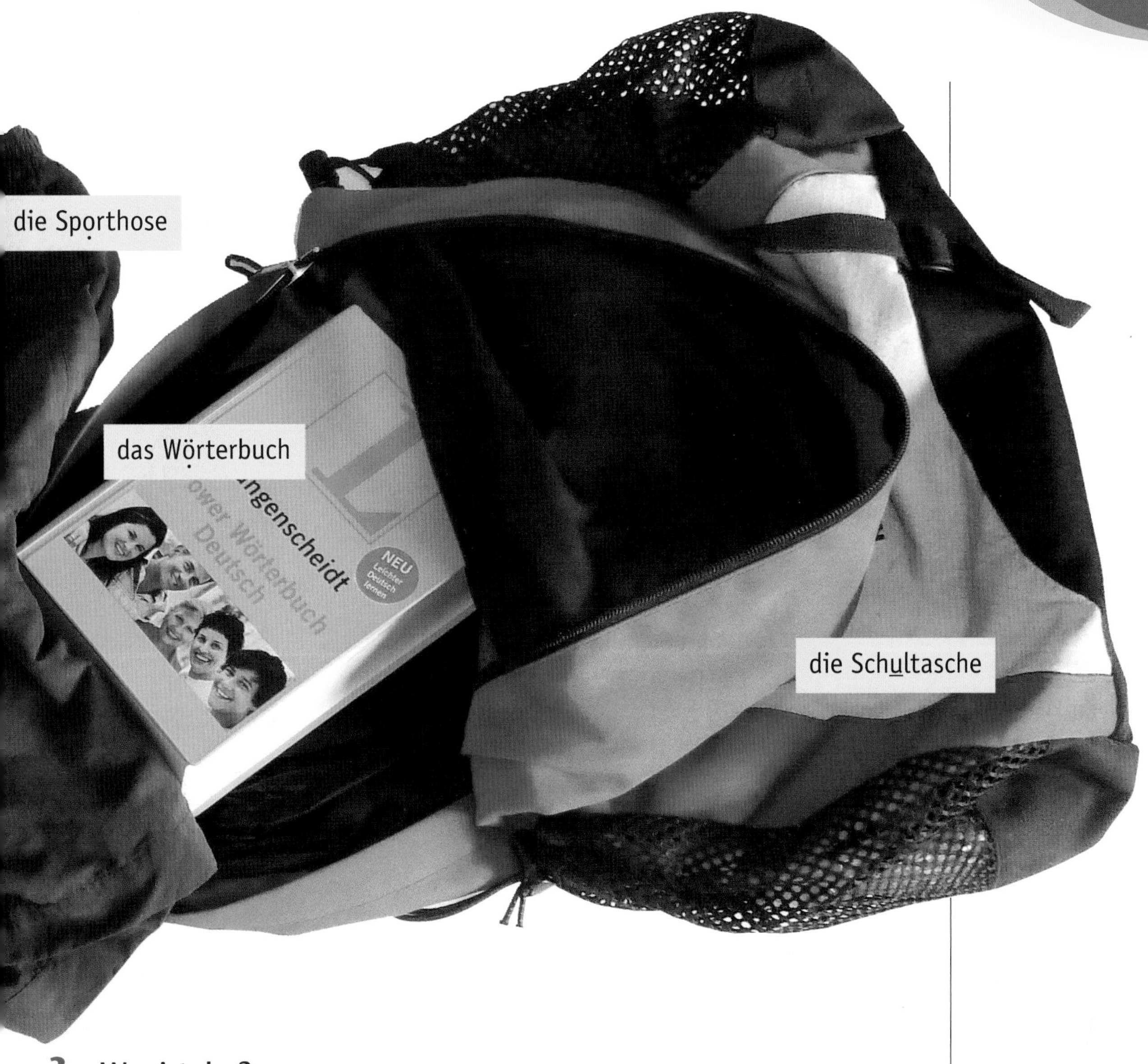

3 Was ist das?

a Hört zu und zeigt die Schulsachen.

1.25

b Hört noch einmal und sprecht nach.

1.26

4 Findet ein Wort mit …

Ein Wort mit B.

B…, B…, Bleistift – der Bleistift!

Ein Wort mit S.

Nomen und Artikel

5 Bestimmter Artikel: ***der, das, die***

Wie lerne ich die Artikel? Hier sind zwei Lerntipps.

> **Lerntipp**
> - **Nomen farbig markieren: drei Artikel → drei Farben**

> **Lerntipp**
> - **Schwere Nomen zu Fantasiebildern verbinden (nur bei identischem Artikel!)**

Fantasiebild zu schweren Nomen mit *der*

der Elefant
der Bleistift
der Ball

6 Wortakzent

1.27 **a Lest die Wörter, hört zu und achtet auf den Wortakzent.**

die Banane • das Heft • der Füller • der Spitzer • das Lineal • der Kuli • das Mäppchen

1.28 **b Jetzt ihr. Hört zu, schreibt die Wörter und markiert den Wortakzent.**

die Schere

7 Komposita

a Schreibt die Wörter mit Artikel ins Heft.

1.29 **b Hört zu und markiert den Wortakzent.**

das Pausenbrot

Pausenbrot
Deutschbuch
Vokabelheft
Wörterbuch
Sporthose
Schultasche

Pausenbrot
Pause!

G ⊃ 4, 7

8 Eine Regel finden. Woher kommt der Artikel?

die Vokabel + **das Heft** → **das** Vokabel**heft**
die Hausaufgaben + **das Heft** → …
die Musik + **das Heft** → …

9 Unbestimmter Artikel: *ein, eine*

1.30

Was ist denn das?

- ● Ist das ein Motor?
- ○ Ein Motor? Nein.
- ● Ist das ein Computer?
- ○ Ein Computer? Nein.
- ● Was ist das?
- ○ Das ist eine Uhr!

10 *ein, eine* und *der/das, die* – Wie heißt der bestimmte Artikel?

ein Füller • ein Geldbeutel • ein Radiergummi • eine Brille • ein Mäppchen • ein Kuli • eine Banane • ein Marker

11 *ein, eine* und *kein, keine* – Hört die Dialoge und sprecht nach.

1.31

12 Artikel im Nominativ. Eine Regel selbst finden: Macht eine Tabelle.

G ➲5, 6

Das ist ...

der Schulhof	→	ein Schulhof	→	kein Schulhof
das Wörterbuch	→	▒ Wörterbuch	→	▒
die Banane	→	▒	→	▒

Viele Fragen – viele Antworten

13 Ist das ein/eine … ? – Fragt und antwortet zu zweit.

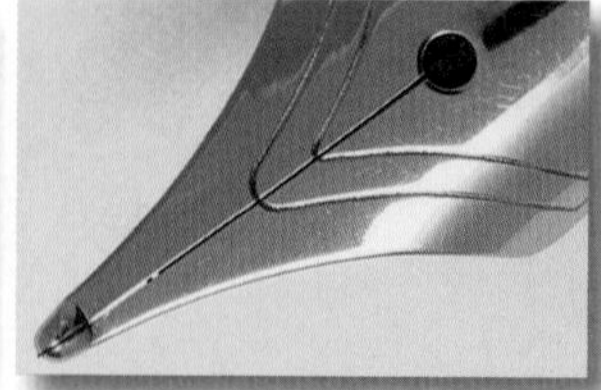

- ● Ist das eine Schere?
- ○ Nein, das ist …

- ● Ist das ein Kuli?
- ○ Nein, das …

- ● Ist das ein Lineal?
- ○ Ja, richtig!

14 Noch mehr Fragen. Was stimmt? – *Ja. Vielleicht. Nein.*

Vielleicht. *Nein.* *Ja.* *Keine Ahnung.*

Spielt Charlotte Basketball?

Mag Jenny Computer?

Mag Karim Caro?

Macht Mario die Fotos?

15 Lernplakate: Fragen und Antworten. Sammelt weitere Beispiele.

W-Frage:	Wo	wohnt	Peter?
	Wo	wohnst	du?
	Woher	kommt	?
Antwort:	Peter		in England.
	Ich	wohne	

➲1, 2

Ja-/Nein-Frage:		Peter	in Italien?	
	Magst	du	?	
	Mag		Pizza?	
	Spielt		Gitarre?	
Antwort:	Nein,	Peter	wohnt	in England.
	Ja,			

16 Ja oder nein?

a **Hört zu und ergänzt die Liste wie im Beispiel.**

1.32

Kannst du kochen?

1. Kannst du kochen? 
2. Magst du „Tokio Hotel"?
3. Spielst du Fußball?
4. Hast du ein Fahrrad? 
5. …

b **Lest die Fragen aus eurer Liste laut und macht eine Statistik in der Klasse.**

	1.	2.	3.	4.	5.	6.	7.	8.	9.	10.	11.	12.
Ja	II											
Nein												

c **Projekt: Schreibt eigene Fragen, fragt in der Klasse und macht eine Statistik.**

17 Ein Spiel. Hört das Beispiel und spielt dann zu zweit.

1.33

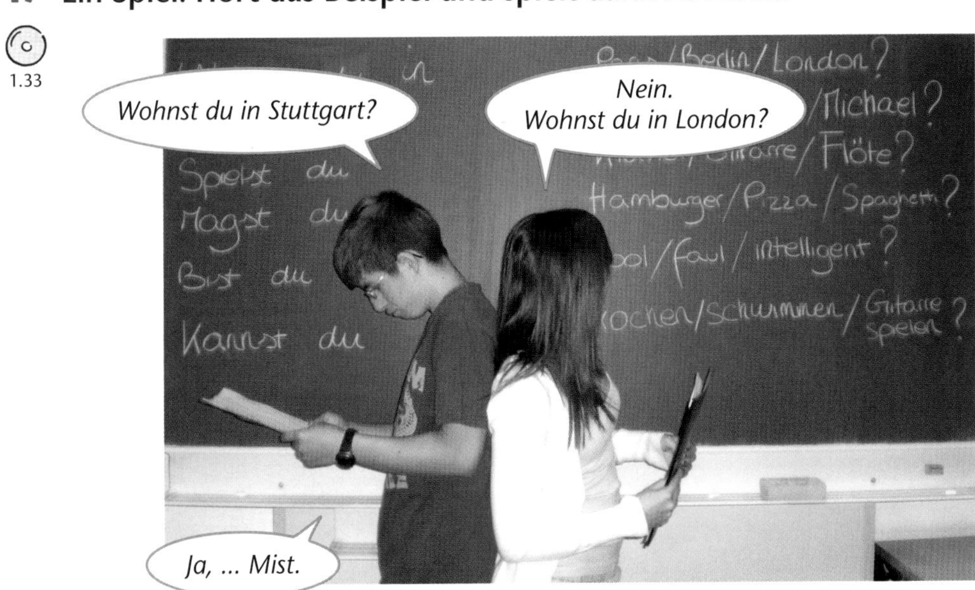
Wohnst du in Stuttgart?
Nein.
Wohnst du in London?
/Berlin/London?
/Michael?
/Flöte?
Spielst du
Magst du
Bist du
Kannst du
Hamburger/Pizza/Spaghetti?
/faul/intelligent?
kochen/schwimmen/Gitarre spielen?
Ja, … Mist.

18 Keine Zeit. Hört zu und spielt die Szene in der Klasse.

1.34

Keine Zeit.
Kein Geld.
Kein Interesse.
Keine Zeit … und keine Lust!
Wer kommt mit zum Mozart-Konzert?
Mozart? Was ist das?
Keine Ahnung.

3

Das kann ich nach Kapitel 3

Hilfe! Das ist eine Banane!

Wörter, Sätze, Dialoge	Übt zu zweit
Schulsachen die Schere, das Lineal, das Vokabelheft, das Mäppchen, das Wörterbuch, die Schultasche, der Bleistift, der Kuli, das Heft, der Marker, der Spitzer, der Radiergummi ...	**Wie heißen die Schulsachen?**
Gegenstände in der Klasse der Stuhl, der Tisch, das Regal, die Tafel, die Uhr, das Fenster, das Plakat, ...	**Nennt vier Gegenstände in der Klasse.** die T ___, der St ___, der T ___, das R ___
Was ist das? Das ist ein Regal, Stuhl, Marker, Heft, ... Das ist eine Schere, Tasche, Brille ...	**Fragt in der Klasse.** *Was ist das?* *Das ist ein ... / eine ...*

Grammatik	Übt zu zweit
Nominativ: ***der – das – die*** der Kuli, Spitzer, Schüler, ... das Heft, Lineal, ... die Schere, Banane, ...	**Ein Wort mit *die, der* und *das*.**
Nominativ: ***ein – eine / kein – keine*** der Marker → ein Marker / kein Marker das Auto → ein Auto / kein Auto die Banane → eine Banane / keine Banane	**Fragt und antwortet.** ● Ist das ein/eine ___ ? ○ Nein, das ist kein/keine ___ . Das ist ein/eine ___ . ● Ist das ...?
Ja-/Nein-Frage / **Antwort** ● Gehst du in die Klasse 7b? ○ Ja. ● Magst du Eis? ○ Nein. ● Machst du ein Foto? ○ Vielleicht.	**Drei Fragen.** Wohnst ...? Magst ...? Spielst ...?
Komposita Artikel → Wort 2 der Sport + **die Hose** = **die** Sport**hose**	**Was passt zusammen? Sucht die Wörter mit Artikel.** AUFGABEN BROT KLASSEN LEHRER HAUS ZIMMER SCHUL TASCHE PAUSEN

Aussprache	Übt zu zweit
Komposita Wortakzent → Wort 1 der Sport + die Hose = die Sporthose	**Sprecht laut.** die Sporthose, das Vokabelheft, das Mathebuch, die Schultasche

Mit Sprache handeln

Ich kann einfache Fragen stellen und auf die Fragen antworten.
● Bist du ...? Wohnst du in ...? Spielst du ...?
○ Ja./Nein.

● Kommst du mit?
○ Keine Zeit. / Keine Lust. / Kein Geld. / Kein Interesse.
▲ Vielleicht. / Ich weiß nicht.
■ Ja, gerne! / Klar!

Ich kann über Schulsachen sprechen.
● Was ist das?
○ Das ist ein/kein ... / Das ist eine/keine ...

● Ist das ein/eine ... (Buch, Lineal, Schere)?
○ Ja./Nein.

Nomen und Artikel
- 3 Artikel → 3 Farben
- schwere Wörter – Artikel identisch?
→ Fantasiebild malen

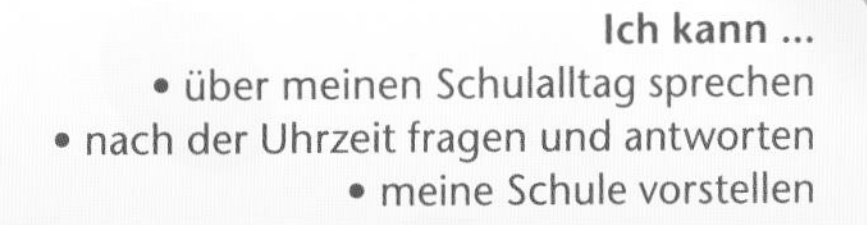

Ich kann …
- über meinen Schulalltag sprechen
- nach der Uhrzeit fragen und antworten
- meine Schule vorstellen

Schule … Schule … Schule

1 Heute kommt Ann-Kathrin Hartwig in die Schule. Es ist der erste Schultag. Sie wohnt auf der Insel Nordstrandischmoor. Die Insel ist klein, sehr klein. Jetzt sind drei Schüler in Deutschlands kleinster Schule.
Am ersten Schultag gibt es eine Schultüte mit Schokolade, Chips, Obst und Geschenken …

2 Mode in der Schule? Bei uns kein Thema. Wir haben eine Schuluniform. Die ist okay. Das finden wir gut.

3 Das Zeugnis von Marika ist sehr gut! Sie hat in Mathematik, in Englisch, in Geografie und in Deutsch eine Eins, die beste Note. Sie bekommt 10 Euro.

4 Ich bin in der Koch-AG. Heute kochen wir italienisch, Spaghetti Bolognese. Das ist nicht kompliziert.

1 Bilder und Texte zum Thema „Schule". Lest und hört zu. Was passt zusammen?

1.35

2 Thema „Schule"

a Findet elf (11) Wörter zum Thema „Schule" in den Texten.

Schule, Schultag, Zeugnis, …

b Schultüte, Schuluniform, Noten … Wie ist das bei euch?

Meine Schule

3 Das Goethegymnasium – Janine erzählt. Hört zu und notiert.

1.36

Janine geht in die Klasse ...
Sie mag ...
Sie spielt ... in der Schulband.
Sie macht gerne ...
Sie macht die ... für die Schulzeitung.

4 Janine erklärt die Fotos. Hört zu und lest die Aussagen. Was passt zusammen? Sortiert Fotos und Informationen.

1.37

Das sind Fotos von meiner Schule. Das ist unser Direktor (1). Er ist total nett. Wir haben viele Lehrer. Mein Lieblingslehrer ist Herr Römer (2). Er unterrichtet Biologie und er ist total lustig. Und das hier ist unsere Schulband (3) bei einem Konzert. Das ist meine Klasse (4) und das ist mein Stundenplan (5). Wir beginnen immer kurz vor acht Uhr, Mittagspause haben wir nach sechs Stunden, na ja ...
Und das hier ist auch interessant: Das ist unsere Partnerschule (6). Sie ist in Finnland.

5 Janine im Blog

a Lest den Text und beantwortet die Fragen.

a Welche Sprachen kann Janine lernen?
b Hat Janine am Samstag Schule?
c Welche AGs gibt es?
d Ist die Schulzeitung gut?

05 Februar

Hallo alle,

meine Schule, das Goethegymnasium, hat 1300 Schüler und mehr als 50 Klassen.

Wir lernen zwei Sprachen. Alle Schüler lernen Englisch. In Klasse 7 wählen wir Französisch, Latein oder Russisch. Die Schule hat auch eine Cafeteria. Die ist ganz o.k.

Am Nachmittag gibt es viele AGs (Arbeitsgemeinschaften) und Projekte, zum Beispiel Chor, Orchester, Sport oder Schulzeitung. Unsere Schulzeitung heißt „Penne". Sie ist super.

Wir haben von Montag bis Freitag Schule. Am Samstag und Sonntag ist schulfrei.

Liebe Grüße
Janine

Das stimmt nicht: Die Schüler lernen Englisch, aber nicht …

b Fünf Sätze – drei Fehler. Korrigiert die Fehler.

1 Die Schule hat 1300 Schüler.
2 Wir lernen Englisch und Spanisch.
3 Am Morgen haben wir AGs.
4 Die Schule hat eine Cafeteria.
5 Wir haben keine Schulzeitung.

6 Schulfächer international

a Lest die Wörter, welche kennt ihr, welche kennt ihr nicht?

Biologie • Mathematik • Deutsch • Kunst • Musik • Englisch • Französisch • Sozialkunde • Geschichte • Sport • Physik • Religion

1.38

b Hört zu und sprecht nach.

Wann hat sie …?

7 Janines Stundenplan

a Übt Fragen und Antworten.

Wann hat Janine Bio?

Am Montag und am …

Uhrzeit	MONTAG	DIENSTAG	MITTWOCH	DONNERSTAG	FREITAG	SAMSTAG
7^{55}–8^{45}	Mathe	Spanisch	Physik	Geografie	Mathe	
8^{45}–9^{30}	Franz	Englisch	Franz	Englisch	Spanisch	
9^{30}–10^{15}	Geschichte	Geografie	Kunst	Sozialkunde	Deutsch	
10^{45}–11^{30}	Bio	Franz	Kunst	Bio	Deutsch	FREI
11^{30}–12^{15}	Spanisch	Deutsch	Sozialkunde	Sport	Physik	
12^{15}–13^{00}	Deutsch	Reli	Mathe	Sport	Geschichte	
13^{00}–14^{00}	– Mittagspause –		Mittagspause –			
14^{00}–14^{45}	Stuz	Stuz	Musik	Deutsch		
14^{45}–15^{30}	Englisch		Musik	Reli		
15^{30}–16^{45}						

b Euer Stundenplan. Fragt und antwortet.

Wann hast du …?

Wann hast du Bio?

Am Montag und am Mittwoch.

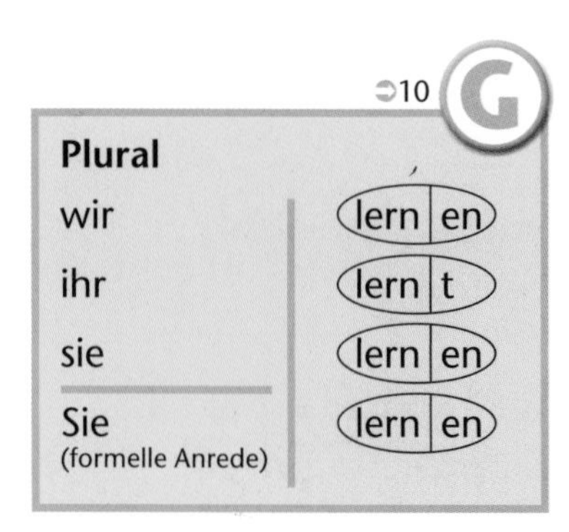

⊃10 G

Plural	
wir	lern en
ihr	lern t
sie	lern en
Sie (formelle Anrede)	lern en

Wir, ihr, sie und Sie

8 Janine fragt, ihr antwortet. Ergänzt, schreibt und spielt Dialoge.

1 Wir lernen drei Sprachen. Lernt ihr auch drei Sprachen?
- ● Ja, wir lernen auch drei Sprachen.
- ○ Nein, wir lernen zwei ....

2 Wir können Fächer wählen. Könnt ihr ...?
- ● Ja, wir können auch ...
- ○ Nein, wir können keine Fächer ...

3 Wir haben eine Lehrerin in Deutsch. Habt ihr ... ?
- ● Ja, wir haben auch ...
- ○ Nein, wir haben einen Lehrer ...

4 Wir haben eine Schulband. Habt ihr ...?
- ● Ja, wir ...
- ○ Nein, wir haben keine ...

9 Projekt: Schreibt über eure Schule und euren Stundenplan.

Liebe Janine,

wir sind die Klasse ... Unsere Schule heißt ... Wir haben auch ...
Wir haben keine ...

10 Ein Interview

1.39

a Hört zu und lest dann zu zweit.

- ● Hallo Mario, *dreht ihr* hier ein Video?
- ○ Ja, klar, Herr Winter.
- ● Und wo sind Eva und Felix?
- ○ *Sie holen* die Kamera.
- ● Und wann *fangt ihr an*?
- ○ In 30 Minuten. ... Äh, Moment bitte. *Können wir* ein Interview machen?
- ● Ja, klar. Welche Fragen *habt ihr*?
- ○ Fragen? ... Moment ... *wir proben* ... Herr Winter, welche Fächer *haben Sie*?
- ● Ich unterrichte Sozialkunde und Geschichte.
- ○ *Mögen Sie* die Schüler?
- ● Ja, klar. *Sie sind* toll.
- ○ *Sind die Kollegen* auch nett?
- ● Ja, *sie sind* nett.
- ○ O.k. ... Das ist gut. *Sie machen* das super!

b Verben und Pronomen im Plural. Notiert Beispiele aus dem Dialog.

Dreht ihr ein Video?

c Welche Verben passen? Schreibt den Text ins Heft. Ergänzt.

findet • habt • hat • heißen • ist (2x) • kommt • machen • mögen • sagt • sind (2x)

Liebe Eva, lieber Felix,

wir ___ heute noch ein Interview mit Frau Kruse. Das ___ die Bio-Lehrerin von der Klasse 8a. Alle Schüler ___ sie sehr. Frau Kruse ___ drei Hunde. Sie ___ Hans, Franz und Fredo und sie ___ sehr intelligent. Frau Kruse ___: „Sie ___ gut in Mathematik." „Hunde und Mathe": Das ___ ein super Thema, oder? Wie ___ ihr die Idee? ___ ihr auch? Oder ___ ihr keine Zeit?
Adresse: Monika Kruse, Marktstraße 5. Beginn: 18 Uhr.

Die Zahlen bis 100

11 Die Zahlen ab 12

1.40 **a Null bis zwölf kennt ihr aus Kapitel 1. Wie geht die Reihe weiter? Sortiert die Zahlen im Heft. Kontrolliert mit der CD.**

dreizehn achtzehn vierzehn siebzehn fünfzehn neunzehn sechzehn

b Welche Zahlen fehlen in der Reihe?

zwanzig • dreißig • vierzig • …zig • sechzig • siebzig • …zig • …zig • (ein)hundert

12 Zahlen sprechen

a Vergleicht: „23“: Deutsch, Englisch, …, deine Sprache.

	20	3
englisch:	twenty	three
italienisch:	venti	tre
türkisch:	yirmi	üç

23

	3	und	20
deutsch:	drei	und	zwanzig

двадцать три

b Wer schätzt am besten? Schreibt die Zahlen und vergleicht.

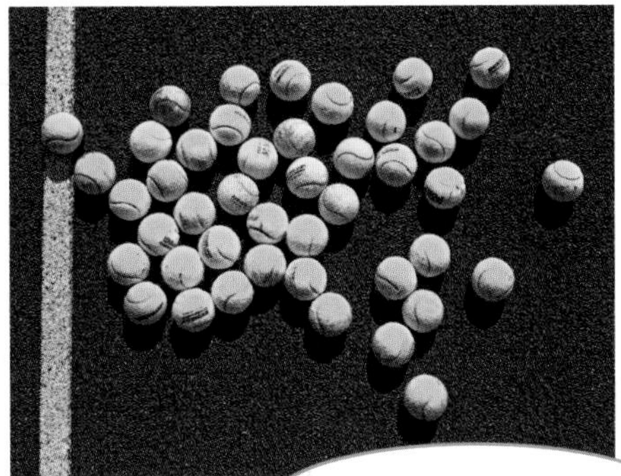

Das sind … Bücher.

Das sind … Bälle.

Das sind … Bleistifte.

1.41 **c Wie heißen die Zahlen? Schreib auf und lies vor: 28, 31, 63, 57, 44.**

achtund…, einund…,

13 Lotto – Notiere 3 mal 6 Zahlen: 1 bis 49.

Hör zu. Wie viele Richtige hast du?

1.42

Wie viele???

14 Plural: Wie viele Mädchen? Wie viele Autos? Wie viele ...?

a Suchen und finden: Es gibt vier Mädchen, ... Autos, ...

⊃4, 8 G

Singular		Plural	Singular		Plural
der Computer		Computer	das Buch		Bü**cher**
der Junge		Junge**n**	das Land		L**ä**nd**er**
der Stuhl		St**ü**hl**e**	das Heft	die	Heft**e**
der Lehrer	die	Lehrer	die Katze		Katze**n**
das Mädchen		Mädchen	die Zahl		Zahl**en**
das Auto		Auto**s**	die Banane		Banane**n**

⚠ die Lehrerin – die Lehrerin**nen** ⚠ die Schülerin – die Schülerin**nen**

Lerntipp
Nomen und Plural zusammen lernen!

b Schreibt Kärtchen mit Singular und Plural. Die Wortschlange hilft.

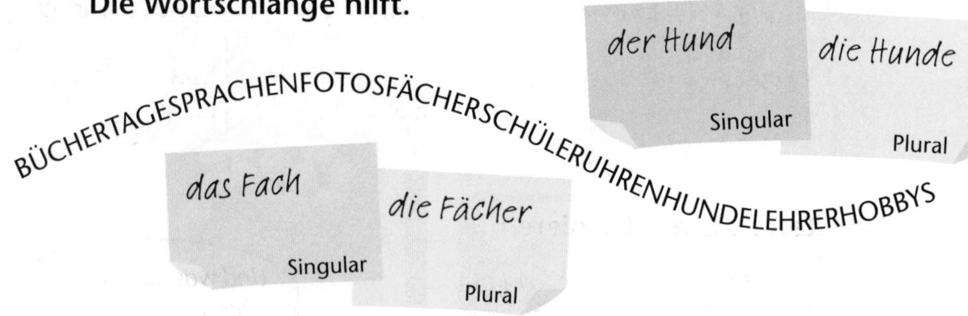

15 Plural in der Klasse

a Schreibt Lernkarten zum Thema „Schulsachen". Die Wortliste ab Seite 131 hilft.

b Plural in der Klasse: Wie viele Schüler/Schülerinnen?

Wir haben ... Fächer.

In der Klasse gibt es ... Tische und ...

Es gibt ... Mädchen/Jungen.

Es gibt ... Plakate.

Es gibt ... Lehrerinnen und ... Lehrer in der Schule.

Wie spät ist es?

16 Uhren und Uhrzeiten

1.43

a Hört zu. Was passt zusammen?

A

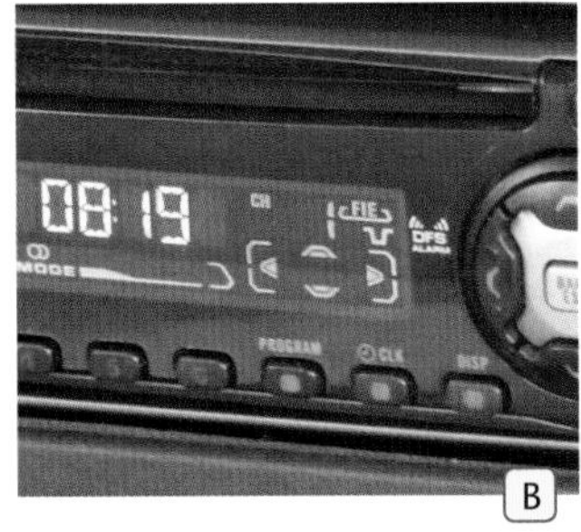

B

C

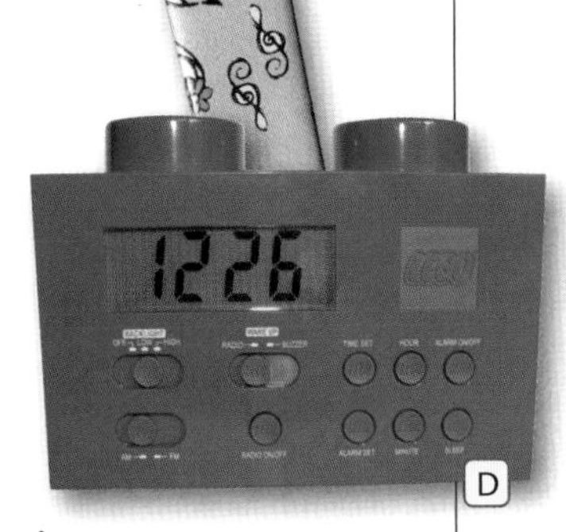

D

E

zehn Uhr zehn • drei Uhr • zwölf Uhr sechsundzwanzig • achtzehn Uhr vier • acht Uhr neunzehn

b Sprecht die Uhrzeiten.

7:15 12:10 15:25 17:53 23:15 …

Es ist 7 Uhr 15.

1.44

c Wie spät ist es? Lest die Uhrzeiten, hört zu und sprecht die Uhrzeiten nach.

Es ist 8 Uhr 15. Es ist 20 Uhr 15.	Es ist 8 Uhr 30 Es ist 20 Uhr 30.	Es ist 8 Uhr 45. Es ist 20 Uhr 45.	Es ist 8 Uhr 55. Es ist 20 Uhr 55.	Es ist 9 Uhr. Es ist 21 Uhr.	Es ist 9 Uhr 5. Es ist 21 Uhr 5.
Es ist Viertel nach acht.	Es ist halb neun.	Es ist Viertel vor neun.	Es ist fünf vor neun.	Es ist neun.	Es ist fünf nach neun.

17 Uhrzeiten zu zweit trainieren

Was hast du am Montag um acht Uhr?

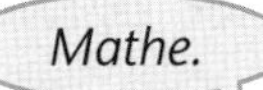

Und was hast du am Dienstag um zehn?

18 Mein Schultag. Julia erzählt. Hört zweimal. Notiert die Uhrzeiten, dann die Schulfächer.

1.45

19 Projekt: euer Schultag. Schreibt einen Text und lest vor.

Montag: Der Unterricht beginnt um … → Zuerst haben wir … → Dann haben wir … → Um … ist Pause. → Dann … → Um ... Uhr haben wir ... → Um … ist Schluss.

Das kann ich nach Kapitel 4

Wörter, Sätze, Dialoge | Übt zu zweit

Uhrzeiten
Es ist 13 Uhr.
Es ist 7 Uhr 12.

Es ist fünf.
Es ist Viertel vor sechs.

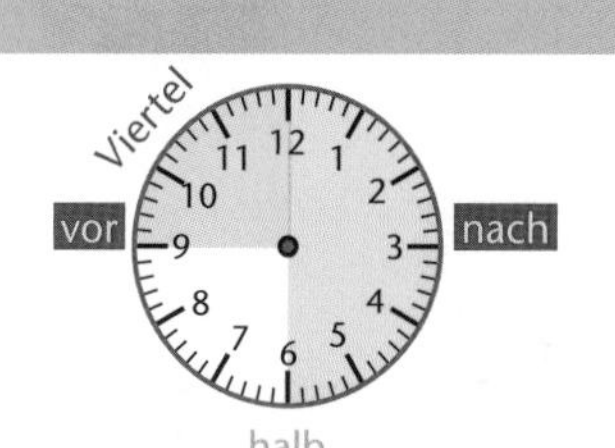

Wie spät ist es? Sagt die Uhrzeiten.

Schulfächer
Mathe(matik), Bio(logie), Deutsch, Geschichte, Englisch, Sport, Kunst, Musik, Physik, Religion, Chemie

Ergänzt Schulfächer.
Math ___, Bio ___, Deu ___, Phy ___ ...

Wochentage
Montag, Dienstag, Mittwoch, Donnerstag, Freitag, Samstag, Sonntag

Fragt und antwortet.
Wann hast du Sport? Am ___ um ___
Wann hast du Englisch? Am ___ um ___

Die Zahlen 11–100
11: elf, 12: zwölf, 13: dreizehn, 14: vierzehn, 15: fünfzehn, 16: sechzehn, 17: siebzehn, 18: achtzehn, 19: neunzehn, 20: zwanzig, 21: einundzwanzig, 22: zweiundzwanzig, ...
30: dreißig, 40: vierzig, …, 100: (ein)hundert

Zählt auf Deutsch. Wie viele Zahlen in 30 Sekunden?

Grammatik | Übt zu zweit

Artikel im Plural immer *die*
das Fach – die Fächer
das Mädchen – die Mädchen
der Kuli – die Kulis
die Schere – die Scheren

Partnerarbeit
● das Auto → ○ die Autos
○ die Zahl → ● die Zahl ___

die Pause, das Foto, die Uhr, das Radio, der Stundenplan

Verben und Pronomen (Plural)
wir lern|en
ihr lern|t
sie lern|en
Sie lern|en

Fragen mit *ihr*
lernen: Lernt ihr Englisch?
haben: ...

Übt auch mit *wir* und *sie*.

Mit Sprache handeln

Ich kann über meinen Schulalltag sprechen.
Ich gehe in die Klasse 8a.
Ich spiele in der Schulband.
Ich mache die Fotos für die Schulzeitung.

Ich kann meine Schule vorstellen.
Das ist unser Direktor.
Herr Römer ist mein Lieblingslehrer.
Wir haben eine Schulzeitung.

Ich kann nach Informationen (Schule, Schulfächer, Uhrzeit) fragen und antworten.
● Wie spät ist es?
○ Es ist halb drei.

● Wann beginnt der Unterricht?
○ Um 8 Uhr.

● Wann hast du Mathe?
○ Am Montag.

● Hast du morgen Sport?
○ Ja, von 11 Uhr bis 12 Uhr!

● Habt ihr auch eine Cafeteria?
○ Nein, wir haben keine Cafeteria.

Karussell

Guten Tag und ...

Nein, das ist ein Fahrrad!

Wie heißt du?

Dann haben wir Biologie.

12 + 12 ist ...?

Was macht Peter?

vierundzwanzig

Kommst du mit ins Konzert?

8

Zuerst haben wir Mathe ...

Be, a, en, a, en, e

Was ist das?

Bücher

Ist BMW ein Computer?

Er spielt Klavier.

auf Wiedersehen!

Das ist kein Hund, das ist ...

Nein, das ist ein Auto.

Es ist

eine Katze

Wolfgang Amadeus Mozart kommt aus ...

Es ist neunzehn Uhr fünfzehn.

Magst du Sport?

Nein, in der Schweiz.

Ist das ein Auto?

Tut mir leid, keine Zeit!

Sprich die Zahl 35.

Ich heiße ...

Ein Buch, aber 3 B ...?

Österreich

Liegt Bern in Deutschland?

Fünfunddreißig

Wie alt ist Bello?

Ja, ich spiele Tennis.

Buchstabiere:

Das ist eine Brille.

1 Zuerst Blau und dann Rot. Was passt? Fragt und antwortet zu zweit.

Training

2 Ein Suchbild

1.46

a **Seht euch das Bild genau an und hört dann acht Sätze. Macht Notizen. Was ist richtig? Was ist falsch?**

Notiz	r	f
1. *Peter mag Pizza.*	x	
2.		
3.		
4.		
...		

b **Könnt ihr die Sätze korrigieren?**

Peter liest einen Comic / ein Heft.

3 Was findet ihr? Es gibt 11 Wörter mit Zahlen (ß = ss).

	A	B	C	D	E	F	G	H	I	J	K	L	M	N	O	P	Q	R	S	T
1	E	Z	D	W	Y	B	Q	P	Z	E	H	N	U	H	R	E	N	K	E	Z
2	I	E	Y	P	Z	W	A	N	Z	I	G	B	Ü	C	H	E	R	Z	F	W
3	N	V	I	E	R	S	T	Ü	H	L	E	M	Q	Ä	F	X	M	D	L	Ö
4	A	D	Q	Ä	T	R	Ö	J	N	P	K	S	F	S	Ö	T	U	X	A	L
5	U	F	Ü	N	F	Z	I	G	B	L	E	I	S	T	I	F	T	E	Ä	F
6	T	Z	W	E	I	G	I	T	A	R	R	E	N	C	A	Y	R	G	T	T
7	O	M	A	E	I	N	E	L	E	H	R	E	R	I	N	C	S	A	B	I
8	F	Ü	N	F	U	N	D	D	R	E	I	S	S	I	G	K	U	L	I	S
9	E	M	Ö	E	X	F	Ü	N	F	Z	I	G	H	A	N	D	Y	S	P	C
10	F	Ä	A	C	H	T	T	A	S	C	H	E	N	E	Y	P	B	G	G	H
11	S	P	D	D	R	E	I	M	Ä	D	C	H	E	N	K	X	I	R	H	E

Doch! Es gibt ein Auto!

Ich sehe keine Autos!

ein Auto, ...

Ich sehe ...

Da sind ...

Es gibt ...

4 Noch ein Peter

a Lest die Aussagen 1 bis 7 mit allen Informationen laut vor.

1. Peter wohnt in Deutschland / in England / in der Schweiz / in Italien.
2. Er ist 13 / 14 / 15 / 17 Jahre alt.
3. Peter geht in die Klasse 7a / 8a / 9a / 10a.
4. Er spielt Klavier / Gitarre / Saxofon / Trompete.
5. Peter mag Mathe / Deutsch / Geschichte / Kunst.
6. Peter ist sehr cool / intelligent / faul / interessant.
7. Er liebt Hamburger / Pizza / Spaghetti / Fisch.

Ich heiße auch Peter.

b Wählt eine Information pro Satz aus und schreibt sie auf.

1. Peter wohnt in der Schweiz.
2. Er ist ...

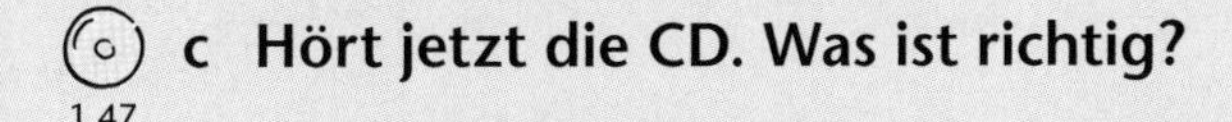

c Hört jetzt die CD. Was ist richtig? (CD 1.47)

d Lest jetzt eure Sätze vor. Was stimmt? Was stimmt nicht? Die anderen korrigieren.

1. Peter wohnt in Deutschland.	– **Das stimmt!** Peter wohnt in Deutschland!
2. Er ist 13 Jahre alt.	– **Das stimmt nicht!** Er ist ...

Er ist 13 Jahre alt.
Das stimmt nicht! Er ist ...

5 Und du??? Fragen und Antworten üben

1. ● Wohnst du in Deutschland?
   ○ **Ja**, ich wohne in ... / **Nein**, ich wohne in ...

2. Bist du ...?		ich bin ...
3. Gehst du ...?		ich gehe ...
4. Spielst du ...?	**Ja,/Nein,**	ich spiele ...
5. Magst du ...?		ich mag ...
6. Bist du ...?		ich bin ...
7. Liebst du ...?		ich liebe ...

Sprechen/Aussprache

Lerntipp
Dialoge „echt" sprechen

6 Du und ich: lesen, sprechen. Hört den Dialog und übt wie im Foto.

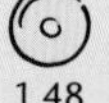

1.48
- ● Was machst du am Wochenende?
- ○ Nichts.
- ● Kommst du mit ins Kino?
- ○ Ja, gerne! Wann gehen wir?
- ● Um 18 Uhr?
- ○ O.k. Ich freue mich!

7 Hört die CD. Übt dann mit *Aha!, O.k., Hm!, Oh je!, Prima!, Cool!* Sprechen, zuhören und wiederholen.

1.49

Ich bin der Bello.
Ich bin der Rudi.
Cool, du bist der Rudi.
Aha, du bist der Bello.

- ● Zuerst habe ich Mathe.
- ○ Aha, zuerst hast du Mathe.
- ● Dann habe ich Englisch.
- ○ O.k. Dann hast du Englisch.
- ● Um 10 Uhr ist Pause.
- ○ Hm, um 10 Uhr ist Pause.
- ● Dann habe ich noch Sport.
- ○ Oh je, dann hast du noch Sport.
- ● Um 13 Uhr ist Schluss.
- ○ Cool, um 13 Uhr ist Schluss.

8 Fußball? Oh je. – Sprecht Dialoge wie im Beispiel.

1.50

Ich liebe Fußball!	Fußball??	Oh je!
Hast du einen Computer?	Einen Computer?	Logisch!
Das ist unser Biolehrer.	Euer Biolehrer??	Cool.
Ich esse gerne Pizza!	Pizza??	Aha.
Magst du Sport?	Sport??	Klar.
Ich spiele Gitarre!	Gitarre???	Toll!

9 Satzmelodie: Hört die Dialoge und sprecht sie nach.

1.51

1 ● Kannst du Gitarre spielen?
○ Nein, ich spiele nichts.

2 ● Woher kommst du?
○ Ich komme aus der Schweiz.

3 ● Guten Tag, Herr Winter, wie geht's?
○ Danke, gut!

4 ● Wie viel Uhr ist es?
○ Es ist Viertel vor sieben.

5 ● Wer ist das?
○ Das ist Peter Müller.

6 ● Ist das ein BMW?
○ Nein, das ist ein VW!

10 Brummsätze

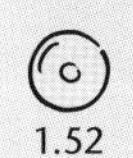
1.52

a Hört die CD. Vier Fragen aus Aufgabe 9. Wie heißen die Fragen?

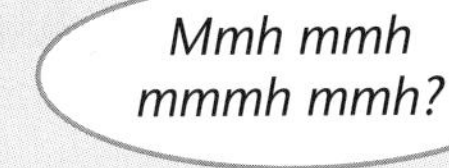
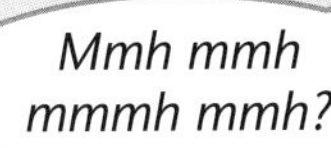

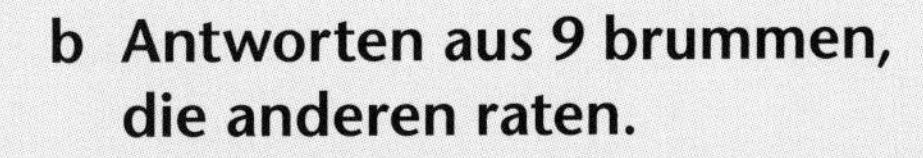

b Antworten aus 9 brummen, die anderen raten.

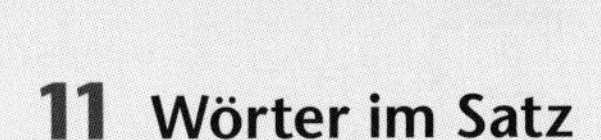

11 Wörter im Satz

a Wortakzent: Lest zuerst die Wörter (A) laut. Achtet auf den Akzent.

(A)	(B)
Fußball	Ich spiele Fußball.
Klavier	Spielst du auch Klavier?
Berlin	Sie kommt aus Berlin.
Schweiz	Ich komme aus der Schweiz
Schule	Unsere Schule ist sehr groß.
Klasse	Wir sind die Klasse ...
schwimmen	Ich kann nicht schwimmen.
Heft	Das ist kein Heft, das ist ein Buch.
Gitarre	Wer spielt Gitarre?

b Satzmelodie: Lest dann die Sätze (B).

1.53

c Hört die CD und kontrolliert.

d Übt dann noch einmal zu zweit.

Video (Teil 1)

12 Sätze und Videobilder – was passt zusammen?

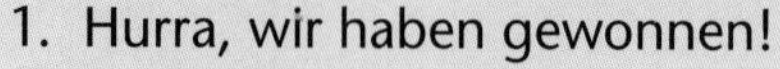

1. Hurra, wir haben gewonnen!
2. Das ist Caro, meine beste Freundin, und ihr Hund Ginger.
3. Mama, wo ist meine Jogginghose?
4. Hey, hallo, was macht ihr denn hier?
5. Jetzt zeige ich euch meinen Schulweg.

Lernen lernen

13 Wiederholen ist wichtig! Aber wie? Sprecht über die Grafik. Wie lernt und wiederholt ihr?

Behalten

30 Minuten lernen

15 Minuten wiederholen

15 Minuten wiederholen

Test

Vergessen

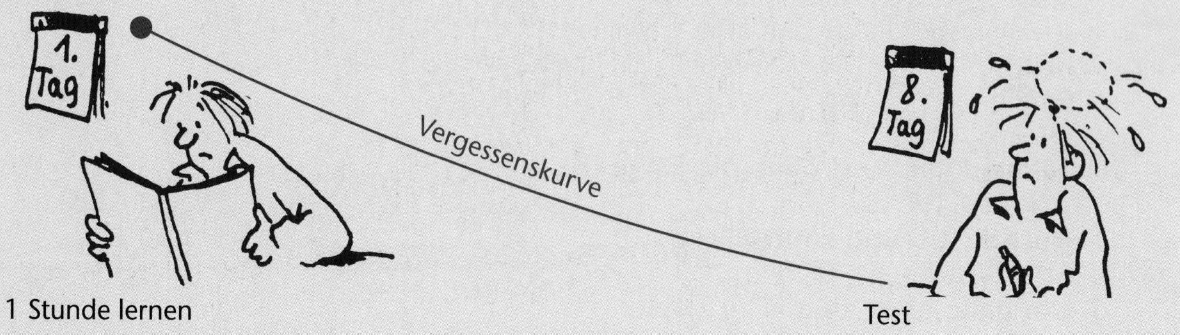

1 Stunde lernen

Test

Ich kann ...
- mein Haustier beschreiben
- über Tiere sprechen
- wichtige Informationen in Texten finden

5

1

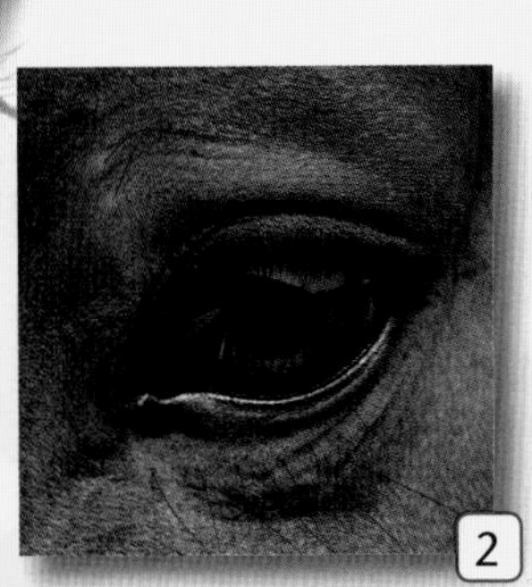
2

3

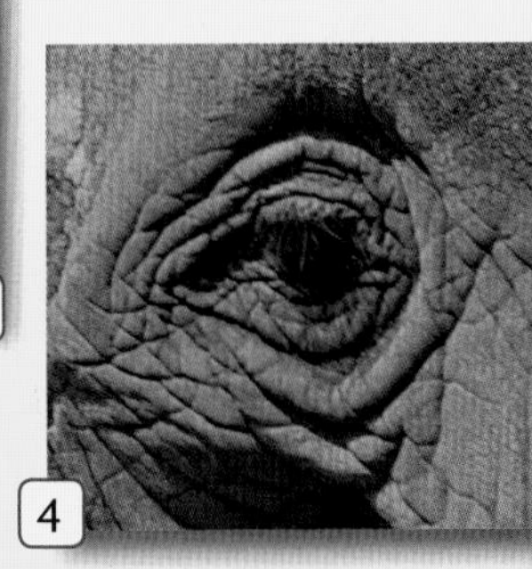
4

Meine Lieblingstiere

5

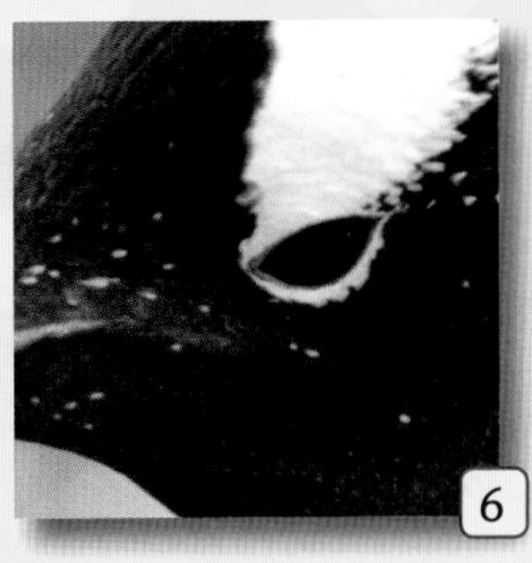
6

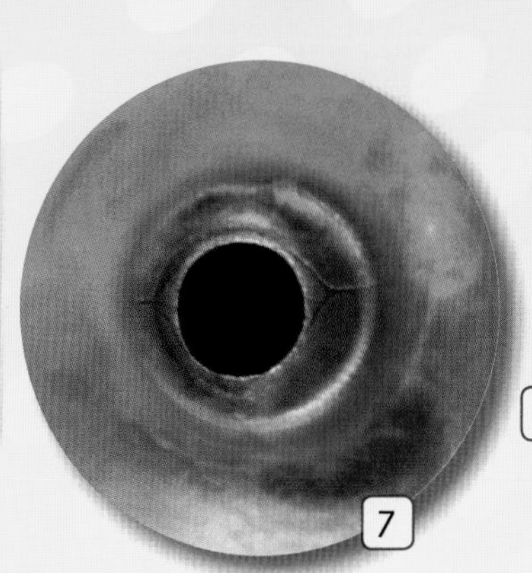
7

8

1 Augen: Wie heißt das Tier?

1.54

eine Fliege • ein Hund • eine Katze • ein Elefant • ein Fisch • ein Papagei • ein Pinguin • ein Pferd

1 ist eine Fliege. 2 ...

2 Hört zu. Was ist das?

1.55

Das ist ein Papagei.

Das ist eine ...

3 Mein Lieblingstier. Lest den Text und sprecht in der Klasse.

„Mein Lieblingstier?" – eine Umfrage

Und das ist das Ergebnis: Die Deutschen mögen am liebsten Hunde! 36 % antworten: „Mein Lieblingstier ist der Hund." Dann kommen die Katzen: 23 %. Zoo-Tiere (Elefanten, Tiger, Kängurus, Krokodile, usw.) mögen 12 %. Pferde und Vögel nennen 8 %. Und erst am Schluss kommen die Fische. Nur 1 % sagt: „Mein Lieblingstier ist der Fisch."

Ich mag ...

Meine Eltern mögen ...

Ich mag keine ...

Mein Bruder mag ... Magst du ...?

Was ist dein Lieblingstier?

Mein Lieblingstier ist ...

100 Prozent Hunde mögen 0 Prozent Katzen!

Tiere und Leute

Mein Mensch heißt Rudi.

4 Caro und Ginger, Lena und Morus, Tim und Bunny. Ordnet die Bilder den Texten zu.

1

2

3

Tim hat viele Katzen. Seine Katze Bunny ist 1 Jahr alt. Sie ist schwarz und weiß. „Bunny ist meine Lieblingskatze!" Tims Mutter sagt: „Seine Katzen sind lieb, aber sie machen viel Arbeit." a

Caro wohnt in München. Sie geht in die Klasse 8. Sie sagt: „Das ist mein Hund. Er heißt Ginger. Ginger ist zwei. Er ist super intelligent. Sein Fell ist weiß und schwarz. Ginger läuft gern. Er mag keine Katzen." b

Lena ist 14. Ihre Hobbys sind Schwimmen, Radfahren und Reiten. Lena liebt Morus: Morus ist kein Junge, Morus ist ein Pferd. Es ist braun. c

5 Ein Quiz zu Aufgabe 4: Wer ist das?

Das ist …

1. Er läuft gern.
2. Er ist weiß und schwarz.
3. Sie ist 1 Jahr alt.
4. Es ist braun.
5. Sie ist 14.
6. Er ist super intelligent.
7. Sie ist Tims Liebling.
8. Sie ist grau.

grau, rot, blau, gelb, grün, bunt, braun, schwarz, weiß

Lerntipp
Lerne nie ein Wort allein!

6 Partnerwörter: Bildet sinnvolle Paare.

LehrerStuhlSchülerschwarzHundSamstagweißKatzeSonntagTisch...

Katze — schwarz — Samstag

Hund — Tisch — Lehrer

7 Zungenbrecher. Hört zu und sprecht nach. Wer ist am schnellsten?

1.56

Fischers Fritz fischt frische Fische – frische Fische fischt Fischers Fritz.
Wenn Fliegen hinter Fliegen fliegen, fliegen Fliegen hinter Fliegen her.

8 Projekt „Tiere" – Bilder und Texte. Macht ein Plakat in der Klasse.

P

Das ist mein Papagei.
Er heißt Coco und ist 30 Jahre alt.
Er ist bunt und sehr lieb.
Er kommt aus Brasilien,
Er mag Bananen.
Er kann sprechen.

Das ist mein Papagei.
Er heißt Coco. ...

Mein Lieblingstier ist der/das/die ...
Der/das/die ... ist ...
Er/es/sie ist ... (Farbe)
Er/es/sie mag ...
Er/es/sie kann ...

9 Kurt und seine Freunde. Lest den Text. Welche Tiere gibt es?

Hallo, ich bin Kurt und das sind meine Freunde, Monika und Fritz. Wir lieben Tiere! Das ist mein Hund Robby, das ist meine Katze Ping und das sind meine Fische. Sie haben keinen Namen.

Und das ist Fritz. Das ist seine Ratte Lady Gaga, sein Pferd Blacky und seine Fische. Und wie heißt dein Haustier?

Und das ist Monika. Ihr Papagei heißt Lora, ihre Katze heißt Pong und das sind ihre Fische.

10 Die SOS-Strategie – Formen sammeln, ordnen und systematisieren

a ***Mein, dein, ...*: Sammelt die Possessivartikel im Text bei Aufgabe 9.**

b Ordnet die Possessivartikel in die Liste ein.

ich	*mein Hund, meine Katze, meine Freunde, ...*
du	*dein Haustier, deine ...*
er	*seine Katze, seine Fische, ...*
sie	*ihr ...*

➲16, 17 G

	Singular		
	der Hund	**das Pferd**	**die Katze**
ich →	mein Hund	mein Pferd	meine Katze
du →	dein	dein	deine Katze
er/es →	sein	sein	seine
sie →	ihr	ihr	ihre

	Plural
	die Hunde/Pferde/Katzen
ich →	meine Hunde/Pferde/Katzen
du →	deine Hunde/Pferde/Katzen
er/es →	seine
sie →	ihre

c Systematisieren. Wo steht das *„e"*?

d Grammatik-Kontrolle: Ergänzt die Possessivartikel.

Haustiere sind Freunde: Ich und ___ Papagei Lore; du und ___ Hund Harro; mein Lehrer und ___ Vogel Birdie; Klara und ___ Pferd Darling; Kurt und ___ Fische; Vanessa und ___ drei Katzen.

Eine, meine, keine

11 Ein Drama: „Meine Katze ist weg!"

a Hört zu. Wie ist die richtige Reihenfolge der Bilder?

1.57

b Lest, übt und spielt das Drama zu dritt

1 *Es ist halb zwei. Kurt kommt aus der Schule. Er isst eine Pizza und trinkt eine Cola. Sein Handy klingelt.*
„Äh, Kurt, hallo?"
„Kurt, hier ist Monika. Meine Katze ist weg!"
„Oh, Monika!!! Äh, deine Katze?"
„Meine Katze Pong, sie ist weg! Bitte, Kurt, suche meine Katze!"
„Hm, Monika, ich esse meine Pizza, dann suche ich deine Katze, o.k.?"

2 *Kurt isst seine Pizza und trinkt seine Cola.*
Er macht eine Pause.
„Ach so, wo ist eigentlich mein Hund ...?"
Er geht in sein Zimmer. Kein Hund.
Er denkt: „Mein Hund ist weg!"
Er ruft: „Robby? Robby?"
Er sagt: „Ich esse jetzt meine Pizza, dann suche ich."

3 *Die Pizza ist kalt. Kurt mag keine kalte Pizza.*
Er sucht die Tiere: „Robby!! R-o-b-b-yyyyyy!!!"
Keine Antwort.
„Ach ja! Monikas Katze!!"
Er ruft: „Pong! Poooooooong!"
Keine Antwort.
Er geht in den Garten und ... „Oh, nein. ..."
„Hallo, Monika, hier ist Kurt. Wie sieht deine Katze aus?"

12 Hört zu und ergänzt die Beschreibung.

1.58 Ihr Kopf ist gelb. Ihr Rücken ist ▒▒, ihr Bauch ist ▒▒, zwei Beine sind ▒▒ und zwei Beine sind ▒▒. Ihr Schwanz ist ▒▒.

13 Menschen und ihre Haustiere

a Was stimmt? Vergleicht in der Klasse.

1. Caro hat eine Katze.
2. Lena hat kein Pferd.
3. Tim hat Katzen.
4. Kurt hat keinen Hund.
5. Kurt hat ein Pferd.
6. Monika hat keinen Hund.
7. Fritz hat kein Pferd.
8. Fritz hat eine Ratte.
9. Monika hat einen Papagei.
10. Monika hat keine Fische.

Stimmt nicht! Caro hat keine Katze. Sie hat einen Hund. Der Hund heißt ...

Stimmt! Tim hat viele Katzen!

Wie heißt die Ratte?
Der Hund heißt Ginger
Das Pferd heißt Morus.
Die Ratte

b Vergleicht die Aussagen in a. Achtet auf die Artikel. Was fällt euch auf?

c Ergänzt die Regel: unbestimmter Artikel im Akkusativ.

16, 17, 22

Singular: der (ein) → ein ___, das (ein) → ein ___, die (eine) → ein ___
Plural: die → ___

Das funktioniert auch bei: Ich mag ...
... meinen, deinen, seinen, ihren, unseren oder keinen Hund!

d Ergänzt die Sätze. Tipp: Das Wörterbuch hilft!

Ich habe ein ___ Tiger.
Ich habe ein ___ Kamel.
Ich habe ein ___ Schlange.
Ich habe ___ Fische.

14 Verben mit Akkusativ: *haben, suchen, mögen, finden, kaufen, ...*

a Ergänzt die Sätze und ordnet die Antworten zu.

1. Wie findest du unser ___ Mathelehrer?
2. Ich kaufe ein ___ Computer. Kommst du mit?
3. Hast du dein ___ Pausenbrot?
4. Magst du ihr ___ Papagei?
5. Suchst du dein ___ Hund, Caro?
6. Wir haben kein ___ Cafeteria!

a Nein, ihre Katze mag ich lieber.
b Ja, wo ist er? Giiinger!
c Aber wir haben ein Schwimmbad!
d Na ja, er ist ganz nett.
e Nein, ich habe keine Zeit!
f Ja, Mama! Tschüs!

Wie findest du unseren Mathelehrer?

Na ja, er ist ganz nett.

b Spielt die Minidialoge vor.

Magst du auch Ratten?

Üben, üben, üben

15 Artikel üben

a Spielt zu zweit: Sortiert Tiernamen in eine Tabelle.

der Papagei • die Fliege • der Hund • der Elefant • die Katze • das Pony • das Krokodil • das Pferd • die Ratte • der Tiger • das Känguru • ...

	A der	B das	C die
1	Elefant	Pferd	Katze
2	Papagei	Pony	Ratte
3	Hund	Krokodil	Fliege

	A der	B das	C die
1	Fisch	Krokodil	Katze
2	Vogel	Känguru	Ratte
3	Tiger	Pferd	Fliege

b Fragt wie im Beispiel. Wer findet die Tiere zuerst?

Hast du einen Papagei in A1?

Nein. Hast du eine Fliege in C3?

16 Ein Würfelspiel. Spielt zu zweit und bildet Sätze.

Drei! Ähm, ich suche meinen Füller.

Er ist blau.

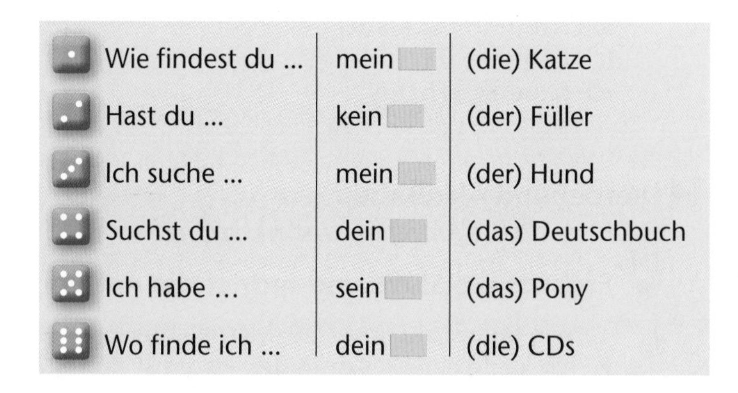

Wie findest du ...	mein ▒	(die) Katze
Hast du ...	kein ▒	(der) Füller
Ich suche ...	mein ▒	(der) Hund
Suchst du ...	dein ▒	(das) Deutschbuch
Ich habe ...	sein ▒	(das) Pony
Wo finde ich ...	dein ▒	(die) CDs

17 Die Kuh macht „Muh!"

a Was sagen die Tiere? Hört zu und ordnet zu.

1.59

Muh! *Wau, wau!* *Miau!!* *Quak, quak.* *Bssssssssss!* *Oink, oink!* *Kikerikiii!*

b Wie sprechen die Tiere in eurer Sprache?

Hunde in Deutschland

18 Seht die Fotos an. Was ist das? Sucht die Antworten im Text.

Die Deutschen sind weltberühmt für ihre Hunde

Der deutsche Schäferhund, der deutsche Dackel, der Pudel, die Dogge und der Dobermann.
Viele Erwachsene und viele Kinder haben einen Hund.
Sind die Deutschen Hunde-Weltmeister? Nein! Nur in 13 % der deutschen Familien gibt es einen Hund – das ist nur Platz 14 in Europa! Aber trotzdem geben die Deutschen über 2 Milliarden Euro pro Jahr für ihre Lieblinge aus! Bello, Schnuffi, Maxi, Jenny oder Paula bekommen in Deutschland alles: Hundefutter, Hundekleider, Hundespielzeug. Es gibt sogar Hundefrisöre! Aber Hunde mögen keine Frisöre ...

*Entschuldigung, ist das **dein** Fisch?*

Das kann ich nach Kapitel 5

Wörter, Sätze, Dialoge

Tiernamen
der Elefant, der Fisch, die Fliege, der Hund, die Katze, der Papagei, der Pinguin, das Pferd, der Vogel, ...

Das können Tiere ...
schwimmen, laufen, fliegen, sprechen

Farben
weiß – grau – schwarz – gelb – rot – orange – grün – blau – braun

Übt zu zweit

Wie heißen die Tiere?

Welches Tier kann ...? Stellt Fragen und antwortet.

Kann ein Hund laufen und ...
Ja, ein Hund kann laufen und ...
Kann ein Papagei ...
Ein ...

Sortiert die Farben von ...

... hell → nach → ... dunkel.

Grammatik

Possessivartikel
mein/meine, dein/deine, sein/seine, ihr/ihre

Das ist mein Hund / meine Katze / ...
Das sind meine Hunde/Katzen/...
Das ist dein/sein/ihr ...
Das sind deine/ihre/ ...

Akkusativ von *ein/kein/mein* ...
Ich habe einen Hund / keinen Hund.
Hast du ein Pferd / eine Katze ...?
Peter mag seinen Hund.
Vera mag ihr Pferd / ihre Katze ...

Verben mit Akkusativ
finden, haben, kaufen, mögen, schreiben, suchen

Übt zu zweit

Ergänzt die Possessivartikel.
Rudi und ___ Hund
Lara und ___ Katze
Fritz und ___ Ratte
Monika und ___ Fische
...

Fragt und antwortet.
● Hat Caro eine Katze?
○ Nein, sie hat keine Katze! Sie hat einen Hund.
● Hat Kurt ...?

Ergänzt die Sätze.
Monika sucht ...
Ich mag ... und ...
Kurt hat ... und ...
Wir schreiben ...

Mit Sprache handeln

Ich kann über Tiere sprechen.
● Magst du Tiere?
○ Ja! Ich mag Hunde und Katzen.
● Magst du auch Fische?
○ Nein, Fische mag ich nicht.

● Hast du Tiere?
○ Ja, ich habe einen Hund. Er heißt Bello.
● ...

Ich kann ein Haustier beschreiben.
Ich habe einen Papagei.
Er ist ... Jahre alt. Er kommt aus ...
Er kann ... und ...
Sein Kopf ist ... und sein Bauch ist ...

Lerntipp: Partnerwörter
Lerne nie ein Wort allein!
schwarz/weiß, Samstag/Sonntag, .../...

Ich kann ...
- mich verabreden, zusagen, absagen
- sagen, wohin ich gehe/gehen will
- sagen, was ich mag/nicht mag, habe/nicht habe, kann/nicht kann

Lust auf Freizeit?

1 Schade!

1.60

a Hört die Dialoge und seht den Comic an.

b Hört noch einmal, sprecht nach und spielt in der Klasse.

2 Spielt den Dialog neu: Daisy mag Sport. Daisy antwortet positiv. Benutzt die Sätze.

Gehen wir morgen schwimmen?

Ja, gerne! Ich liiieeebe Wasser!

Daisy ist spitze!

Er ist einfach super toll!

Ja, gerne! Ich liiieeebe Wasser!
Natürlich, ich habe Zeit!
O.k. Ich freue mich! Ich gewinne!
Rad? Klar! Ich habe ein Top-Mountainbike!
Gerne! Wann?
Hamburg gegen München? Toll! Wir fahren hin!

Wohin?

Kommst du mit ins Konzert?

ins Konzert

3 Hast du Zeit?

a Stellt Fragen. Was machen wir?

Gehen wir morgen ...?

ins Schwimmbad

zu Tom

ins Kino

5

in den Freizeitpark

auf den Sportplatz, Fußball spielen

7

zur Party

in die Stadt – shoppen

b Was passt zu den Fotos? Ordnet zu.

a Es gibt einen 10-Meter-Turm!
b Wir gewinnen heute 2:0!!!
c Monika hat Geburtstag!
d Der Sänger ist echt cool!
e Ich suche eine Hose!
f Der neue Film ist super!
g Er hat ein neues Computerspiel.
h Da haben wir einen Supertag!

c Minidialoge. Fragt und antwortet abwechselnd.

Kommst du mit ins Schwimmbad? Es gibt einen 10-Meter-Turm.

Kein Geld. *Keine Lust.* *Prima!* *Keine Zeit.* *Ja, gerne!*

4 Projekt „Orte in der Stadt". Sammelt und schreibt.

P Madrid – das Museum Prado: „Da gibt es viele Bilder."
München – der Viktualienmarkt: „Viel Essen und Trinken"
Und in deiner Stadt?

5 Spielt Dialoge mit den Beispielen.

Zum Direktor?
Bist du verrückt???

Hast du Zeit? Ich gehe morgen ... Kommst du mit ... Gehst du mit ... Hast du Lust? Ich gehe ...	• ins Museum • auf den Sportplatz • Tennis spielen • in den Freizeitpark • ins Kino • schwimmen • in die Schule • in den Zoo • skaten • in die Stadt • ins Eiscafé • tanzen • zu Tom • zum Bahnhof • zum Direktor

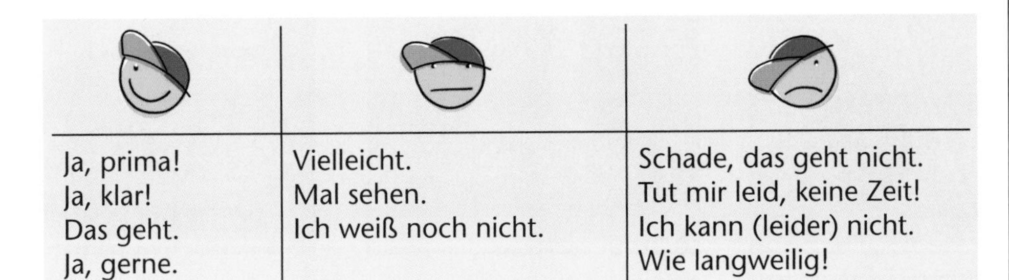

Ja, prima! Ja, klar! Das geht. Ja, gerne.	Vielleicht. Mal sehen. Ich weiß noch nicht.	Schade, das geht nicht. Tut mir leid, keine Zeit! Ich kann (leider) nicht. Wie langweilig!

6 Dialoge

a Hört, lest und übt die Dialoge.

1.61

Dialog 1:
- ● Hallo **Tom**, hier ist **Elke**.
- ○ Hallo **Elke**.
- ● Hast du **morgen Abend** Zeit?
- ○ Warum?
- ● Gehst du mit **ins Konzert**? Die Teddies spielen!
- ○ **Klar!** Holst du mich ab?
- ● O.k. **Um 17 Uhr**?
- ○ **Perfekt!**

Dialog 2:
- ● Maja.
- ○ Ja, Max.
- ● Hast du **heute Abend** Zeit?
- ○ **Ich weiß noch nicht, wann denn?**
- ● Um 18 Uhr. Maria und ich, wir gehen **ins Kino**.
- ○ Hm, **tut mir leid**! Ich kann nicht.
- ● **Schade.**
- ○ Vielleicht **morgen**?

b Dialogvarianten: Ersetzt die markierten Teile.

Varianten
- **Namen:** ...
- **Zeit:** heute Nachmittag / am Wochenende / ...
- **Wohin:** in den Park / auf den Sportplatz / ...
- **Antworten:** Ja. / Vielleicht. / Nein.

Verabredung

7 Peter und Sabine – ein Missverständnis

a Seht die Bilder an und lest die Texte. Welcher Text passt zu welchem Bild?

Peter sucht sein Handy in der Jacke: „Kein Handy, nichts!“ Sabine sucht ihr Handy in der Tasche: „Mist! Der Akku ist leer.“ **a**

Auch Sabine ist glücklich. Sie trägt ihr neues Top und fährt mit dem Fahrrad zur Bank! Es ist gleich 3 Uhr. **b**

Dann kauft er eine rote Rose und nimmt den Bus. An der Bank steigt er aus. **c**

Sabine mag Peter und Peter mag Sabine. Heute ruft Sabine an. Sie will Peter treffen. „Hallo Peter? Um drei Uhr an der Bank? Ich freue mich!“ Es ist das erste Mal! Peter ist sehr froh und zieht seine Jeans und seine neue schwarze Lederjacke an. **d**

So ein Pech! Peter und Sabine fahren zurück nach Hause. Sabine ruft Peter an! **e**

Peter wartet auf Sabine. Wo ist Sabine? Sabine wartet auf Peter. Wo ist Peter? Jetzt ist es schon halb vier und es fängt an zu regnen. Peter ist nicht da. Sabine ist nicht da. Da ist niemand! Beide sind nass und wütend! So ein Mist! Was ist los? „Wo ist Peter?“ – „Wo ist Sabine?“ **f**

b Hört die Geschichte und vergleicht die Reihenfolge. 1.62

Verben in zwei Teilen

8 Dialoge

a Lest den Dialog zu zweit. Was fällt euch auf?

● Kommst du heute Nachmittag mit?
○ Wohin?
● Ins Kino. Es kommt ICE AGE 7.
○ Wann beginnt der Film?
● Um 4. Ich hole dich zu Hause ab.
○ Und wann hört der Film auf?
● Um 6.
○ Vielleicht. Ich rufe dich an.

b Findet die Verben aus dem Dialog in a.

ankommen • mitgehen • aufhören • anrufen • abholen • aufstehen • anmachen • mitkommen

c Hört zu. Wo liegt der Wortakzent? Am Anfang, in der Mitte, am Ende?

1.63

Lerntipp
Mit Rhythmus lernen: ANkommen, ABholen, MITkommen

➲15, 20

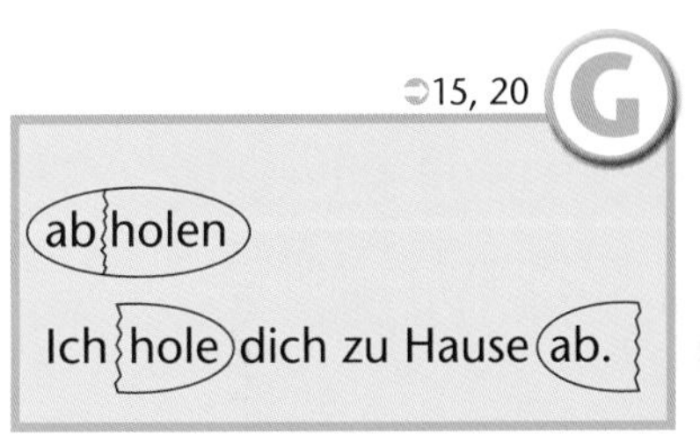

ab holen
Ich hole dich zu Hause ab.

9 Wie funktionieren die trennbaren Verben? Macht ein Beispiel an der Tafel. Eure Lehrerin/euer Lehrer hilft.

10 Spielt die Minidialoge. Hört die Beispiele auf der CD.

1.64

1 ● Der Bus kommt um **7 Uhr 30** an.
○ Um 7 Uhr 30???
● Ja, mach schnell!

2 ● Gehst du mit **ins Kino**?
○ Ins Kino???
● Ja, der Film ist toll!

3 ● Der Unterricht hört **um 9 Uhr** auf.
○ Um 9 Uhr???
● Ja, das ist gut, oder?

4 ● Ich rufe **meine Freundin** an.
○ Eva???
● Nein, sie heißt jetzt Evelyne!

5 ● Wir holen dich **zu Hause** ab.
○ Zu Hause???
● Klar! Zu Hause!

6 ● Ich stehe jeden Morgen **um 6 Uhr** auf.
○ Um 6 Uhr? So spät?
● So spät? Das ist früh!!!

7 ● Machst du bitte **das Radio** an?
○ Das Radio???
● Ja, da kommt Mozart.

8 ● Kommt ihr mit **ins Schwimmbad**?
○ Ins Schwimmbad???

Der Bus kommt um 7 Uhr 30 an.
Um 7 Uhr 30???
Ja, mach schnell!

11 Caro: ein Tagesablauf

a Caro erzählt: zuerst lesen, dann hören, dann vorlesen

1.65

ICH ...
... **stehe** um 6 Uhr / um 7 Uhr **auf** und trinke Kaffee/Kakao.
Ich **mache** den Fernseher / das Radio **an**.
Ich nehme das Fahrrad / gehe zu Fuß.
Um 7 Uhr 30 / 7 Uhr 45 **komme** ich in der Schule **an**.
Der Unterricht beginnt um 8 Uhr / 8 Uhr 30.
Um 13 Uhr / 14 Uhr **hört** der Unterricht **auf**.
Karim/Ginger **holt** mich **ab**.

b Und du? Erzähle deinen Tagesablauf.

Mein Tag – meine Woche

12 Statistik in der Klasse

a Macht Interviews und sammelt Informationen.

Dein Tag

- Stehst du jeden Morgen um 7 Uhr auf?
- Machst du jeden Tag den Fernseher an?
- Schreibst du die Hausaufgaben in der Schule ab?
- Holst du manchmal deine Schwester oder deinen Bruder oder ... ab?
- Rufst du jeden Tag die Freundin / den Freund / ... an?
- Gehst du oft in die Stadt zum Einkaufen?
- Gehst du manchmal ins Theater?
- Gehst du oft ins Schwimmbad?
- ...

b Statistik an der Tafel

Schüler stehen jeden Morgen um 7 Uhr auf. III
...

13 Keine Zeit, keine Zeit – Hört zu und singt mit.

1.66

Am Montag spiel' ich Fußball, da hab' ich keine Zeit.
Am Dienstag geh' ich schwimmen, es tut mir schrecklich leid.
Am Mittwoch muss ich lernen, für den blöden Test.
Am Donnerstag da feier' ich, mein Freund, der macht ein Fest.
Am Freitag geht es wieder nicht:
Da hab' ich Nachhilfeunterricht!
Am Wochenende hab' ich frei.
Kommst du dann vorbei?

Nein, ich kann nicht ...

Ich schwimme nicht gerne!
Aber ich!
Ich schwimme auch nicht gerne!

14 Ich nicht! Ich auch nicht! Aber ich!

a Was stimmt für euch? Wählt zwei Sätze und lest vor.

Ich lese nicht gerne Bücher
Ich stehe nicht um 7 Uhr auf.
Ich spiele nicht Gitarre.
Ich kann nicht schwimmen.

Ich telefoniere nicht viel.
Ich bin nicht aus Deutschland.
Ich kann nicht gut tanzen.
Ich bin nicht fleißig.

b Wo steht *nicht*? Vergleicht die Sätze. Was ist richtig? a oder b?

1 a Ich spiele nicht gerne Gitarre.
  b Ich nicht spiele gerne Gitarre.

2 a Ich nicht kann singen.
  b Ich kann nicht singen.

3 a Ich stehe nicht um 7 auf.
  b Ich nicht stehe um 7 auf.

⊃23

15 Was macht ihr gerne / nicht gerne? Schreibt Aktivitäten auf. Lest abwechselnd vor wie im Beispiel. Hört die Beispiele auf der CD.

1.67

Ich esse nicht gerne Spaghetti, aber ich esse gerne Pizza!
Ich spiele nicht Gitarre, aber ich spiele Klavier!
Ich kann nicht singen, aber ich kann tanzen! ...
Ich schwimme nicht gerne, aber ich kann gut Fußball spielen.

16 Arbeitet zu zweit. Was sagt der Nein-Typ? Findet schnell alle Sätze in 1 bis 3 und lest vor.

1
IfneEneta
znaetK
rreLeh
hürBce
freedP
udenH
...
2
sinneT spielen
erratiG spielen
nemmiwhcs
hcsilgnE sprechen
hcsisenihC sprechen
nehcuat
...
3
Peaapgi
Makrer
Setpnadlnun
Klui
Rmaruimdegi
Btfliiest
Füleelr
...
Ich kann nicht Tennis spielen.
Ich mag keine Elefanten!
Ich habe keinen Papagei.
NEIN NO NIET

17 Und ihr? Macht noch ein Beispiel zu a, b und c.

a Ich mag ..., aber ich mag keine ...
b Ich kann gut ..., aber ich kann nicht ...
c Ich habe ein/e/en ..., aber ich habe kein/e/en ...

Ich mag Katzen, aber ich mag keine Hunde ...

Ich kann gut tanzen, aber ich kann nicht ...

Das kann ich nach Kapitel 6

Wörter, Sätze, Dialoge	Übt zu zweit
Wohin? Kommst du mit ... ... ins Museum? ... in die Stadt? ... in den Freizeitpark? ... ins Schwimmbad? ... ins Kino? ... zur Party? ... zu Miriam?	**Stellt Fragen. Kommst du mit ...?** ... Schule? ... Museum? ... Konzert? ... Laura?
Verben für die Freizeit schwimmen Tennis spielen Rad fahren	**Ergänzt die Sätze.**   G ___ wir joggen? K ___ d ___ mit ___ ___?

Grammatik	Übt zu zweit
Trennbare Verben anfangen, ankommen, anmachen, anrufen, abholen, aufhören, aufstehen, aufwachen, einkaufen, mitgehen, mitkommen, ...	**Ergänzt.** Holst du Mario am Bahnhof ___? Geht ihr ___ ins Kino? Kommst du ___? Ich gehe in die Stadt. Der Bus ___ um 7 Uhr ___. Warum ___ du nicht ___? ___ du auch um 6 Uhr 30 ___? Wann ___ der Unterricht ___?
Verneinung mit *nicht* und *kein* Ich kann nicht schwimmen. Ich tanze nicht (gerne). Ich mag keine Fische. Ich habe keinen Papagei.	***nicht* oder *kein*? Sprecht zu zweit. Findet für a–d immer zwei Beispiele.** a Was kannst du NICHT? b Was machst du NICHT (gerne)? c Was magst du NICHT? d Was hast du NICHT? *Was kannst du nicht?* *Ich kann nicht ...*

Mit Sprache handeln

Ich kann mich verabreden, zusagen oder absagen.

● Kommst du mit in die Stadt? Shoppen?
○ Klar! / Ja, gerne.

● Ich gehe schwimmen. Hast du Lust?
○ Ich weiß nicht. / Vielleicht.

● Gehen wir zu Tom? Er hat ein neues Computerspiel.
○ Tut mir leid, ich kann nicht. / Schade, keine Zeit.

Ich kann sagen, was ich nicht kann/habe/mag.

Ich kann nicht Tennis spielen / schwimmen / ...
Ich habe keinen Computer / keine Katze / ...
Ich mag keine Hausaufgaben / keine Lehrer / ...

Lerntipp: Mit Rhythmus lernen
ANkommen
ABholen
MITkommen

Ich kann ...
- über meine Hobbys und meine Freizeit sprechen
- kurze Gespräche im Geschäft führen
- sagen, welche Kleidung ich (nicht) gut finde
- etwas vergleichen und sagen, was ich gut oder besser finde

Am Nachmittag ... Am Mittwoch ... Am Freitag ... Nach der Schule ...

Was ich alles mache ...

Am Donnerstag, um 15 Uhr ...

Am Wochenende ...

Am Dienstag ...

Am Abend ...

1 Wer macht was wann?

a Seht die Fotos an und ergänzt die Sätze. Hört dann die CD. (CD 1.68)

a ... spielt Julian Karten.
b ... liest Laura Comics.
c ... trifft Pascal seine Freunde im Jugendclub.
d ... gehen Jenny und Natalie in die Stadt.
e ... spielt Lisa Fußball.
f ... übt Jakob E-Gitarre in der Band.
g ... hat Marie Zirkus-AG.
h ... fährt Nele in den Freizeitpark.

1d Am Wochenende gehen Jenny und Natalie in die Stadt.

b Sammelt Hobbys und macht eine Liste.

Medien	*Sport*	*Musik*
Computerspiele	*Tennis*	

2 Julians Freizeit. Lest erst den Text und hört dann die CD. Was stimmt nicht? (CD 1.69)

Das ist mein Freund Julian. Er hat viele Hobbys. Er spielt Fußball. Und er hört gerne Musik. Na ja ... Julian spielt auch gern Karten. Nach der Schule spielen wir oft zusammen. Am Nachmittag sind wir zusammen in der Medien-AG oder im Jugendclub.

Am Morgen, am Mittag, …

Lerntipp: Notizen machen
Name: …
Wann? …
Was? …

3 Meine Freizeit

1.70 **a Hört die Dialoge. Was machen die Schüler? Notiert.**

b Was macht ihr wann? Arbeitet zu zweit. Bildet drei Sätze und lest euch vor.

Am Morgen	gehe	ich	in die Schule / zum Bus / …
Am Vormittag	habe	ich	Mathe / Deutsch / Musik / frei
Am Mittag	fahre	ich	nach Hause / in die Stadt / Rad …
Am Nachmittag	treffe	ich	meine Freunde / Tina / Tom …
Am Abend	höre	ich	Musik / Radio / …
Am Wochenende	gehe	ich	schwimmen / ins Kino / …
In den Ferien	spiele	ich	Tennis/Basketball ...
Um 9 Uhr	habe	ich	Englisch / frei / Medien-AG …
Heute	kaufe	ich	ein.
Am Sonntag	faulenze/lese …	ich.	

Am Nachmittag treffe ich meine Freunde.

Am Sonntag faulenze ich.

Was machst du am Wochenende?

Am Wochenende gehe ich …

c Was macht ihr am Wochenende / in den Ferien / am Samstag? Fragt in der Klasse und schreibt.

Am Wochenende geht Marie …

d Sätze bauen. Was fehlt? Ergänzt die Regel.

12 G

Position 1	Position 2	
Am Wochenende	( )	ich Fußball.

4 Nomen und Verben

a Findet Verben zu den Nomen.

Computerspiele • Comics • Filme • Tennis • Gitarre • Mathe • Freunde • …

Comics: lesen, malen, …
Freunde: haben, tr...

Ich tanze gern!

Ich auch!

b Sprecht zu zweit. Was macht ihr (nicht) gerne?

Ich spiele gerne Computerspiele.

Ich auch.

Ich nicht.

Aktivitäten

5 Spiel zu viert

a Spielt das Spiel. Euer Lehrer/eure Lehrerin erklärt die Regeln.

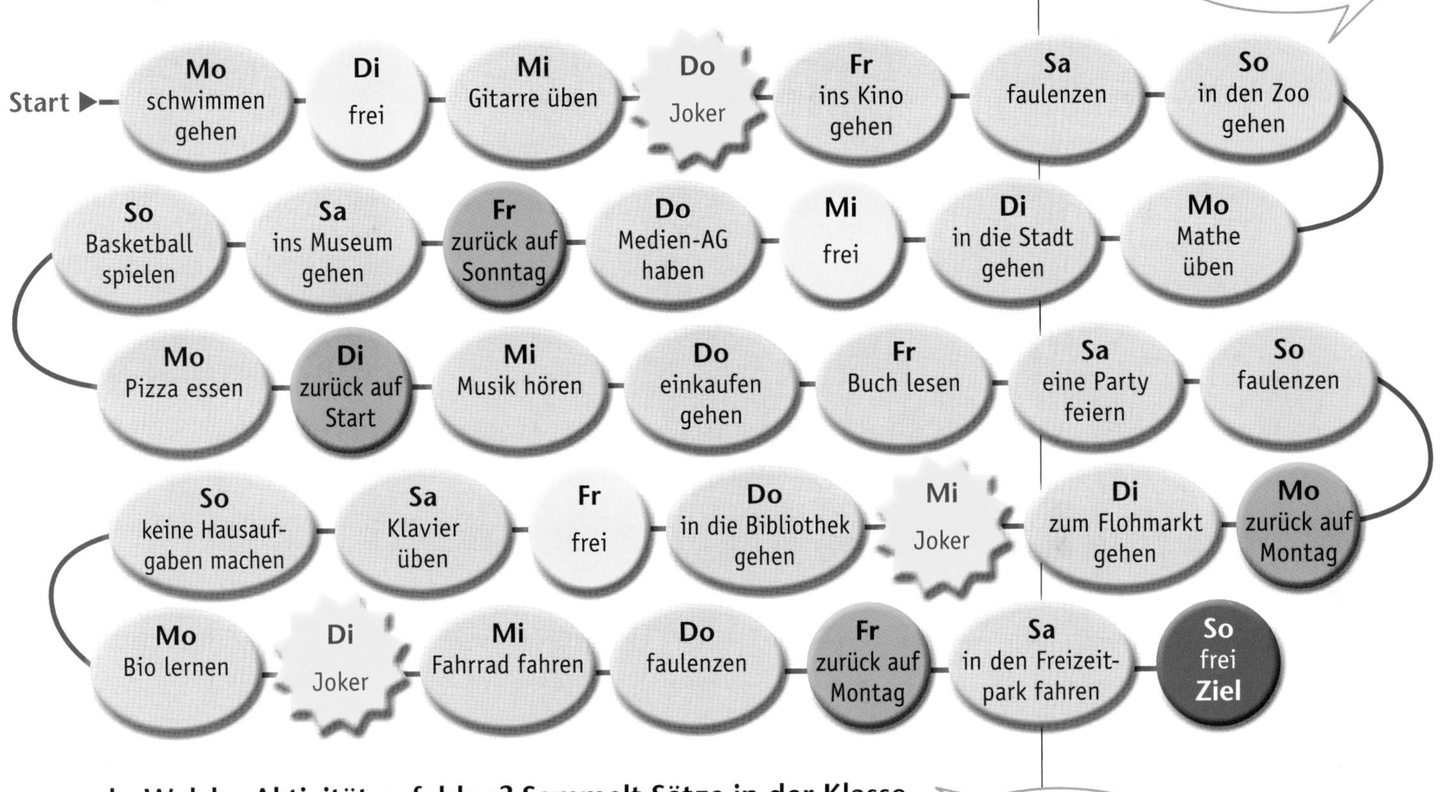

b Welche Aktivitäten fehlen? Sammelt Sätze in der Klasse.

Am Samstag sehe ich fern.

6 Vergleiche: *gut/besser …, gern/lieber …*

1.71

a Hört zu. Was sagen die Schüler?

Ich spiele gern Fußball, aber Basketball finde ich ___.
Computerspiele finde ich gut, aber Karten spielen finde ich ___.
Meinen Mathelehrer finde ich gut, aber meinen Fußballtrainer finde ich ___.
„Tokio Hotel" mag ich gern, aber „Queensberry" höre ich ___.

G 24

gut (☺) → besser (☺☺)
gern (☺) → lieber (☺☺)

b Hobbys. Fragt in der Klasse. Was magst du gern? Was magst du lieber? Was findest du gut? Was findest du besser?

Frage	Antwort
Was magst/spielst/trinkst du lieber?	... mag/spiele/trinke ich lieber als ...
Was ist/schmeckt besser?	... ist/schmeckt besser als ...
Was findest du besser?	... finde ich besser als ...

Kartenspiele ↔ Computerspiele • ins Museum gehen ↔ ins Kino gehen • Katzen ↔ Hunde • Fahrrad fahren ↔ Skateboard fahren • lesen ↔ fernsehen

Was magst du lieber: Comics oder Bücher?

Comics mag ich lieber als Bücher.

Was findest du besser: Tennis oder Basketball?

Tennis finde ich besser als …

Fragen, Fragen, Fragen

Was machen
Sie gerne?

7 Und Sie? Fragen an den Lehrer.

1.72 **a Hört zu. Was antwortet der Lehrer?**

1. Lesen Sie gern Bücher?
2. Spielen Sie Computerspiele?
3. Sprechen Sie gut Englisch?
4. Was essen Sie gern?
5. Singen Sie gern?
6. Joggen Sie gern?
7. Wie heißt Ihr Lieblingsfilm?
8. Welche Musik hören Sie?
9. Fahren Sie mit dem Bus?
10. Mögen Sie Ihre Schüler?

Liest du gern Bücher?

Nein, aber ich lese gern Comics. Isst du …?

b Und jetzt du! Was machst du gern? Notiert Fragen. Fragt und antwortet in der Klasse.

lernst du • machst du • liest du • isst du • gehst du • hörst du • fährst du • kochst du • schreibst du

… gern Bücher? • … Comics • … Sport? • … Rad? • … ins Kino? • … Englisch? • … Musik? • … gern Pizza? • … gern? • … Briefe? • … in die Stadt? • …

8 Verben vergleichen

a Vergleicht *gehen, lesen* und *fahren*. Wo ändert sich etwas?

lesen – liest??

	regelmäßig	unregelmäßig	
	gehen	lesen	fahren
ich	gehe	lese	fahre
du	gehst	liest	fährst
er/es/sie	geht	liest	fährt
wir	gehen	lesen	fahren
ihr	geht	lest	fahrt
sie/Sie	gehen	lesen	fahren

b Schlagt die Verben in der Wortliste (ab S. 131) nach. Wählt drei Verben aus. Schreibt ein Lernplakat wie im Beispiel.

laufen • sein • sehen • einladen • essen • haben • fahren • können • mögen

Ich laufe nach Hause …
Läufst du …?
Er läuft …

Ich sehe …
Du siehst …
…

lernen 26/5
Lernkarte, die, -n 36/15
Lerntipp, der, -s 13/11
lesen, er liest 9/2
Leute, die *Pl.* 46
lieb 21/15
lieb haben, er hat lieb 85/4

Das bin ich

9 Marcels Steckbrief

a Lest Marcels Steckbrief. Was versteht ihr schon?

Mein Steckbrief:

Nachname: Westmann
Vorname: Marcel
Alter: 14 Jahre
Stadt: D-29221 Celle
Straße: Kirchstraße 15
Telefon: 05141/1238761
Hobby: Rugby, Trompete, Kino
Lieblingsbuch: Krokodil im Nacken
Lieblingstier: Elefant
Lieblingsessen: Hamburger
Lieblingsgruppe: Die Toten Hosen
Lieblingsfarbe: Schwarz

1.73 **b Marcel stellt sich vor. Hört zu. Welche Informationen sind neu?**

10 Sara sucht Brieffreunde

a Lest die Texte. Auf welche Fragen antworten die Mails?

Welche Farbe magst du?
Welche Hobbys hast du?
Wo …?
Was isst …?

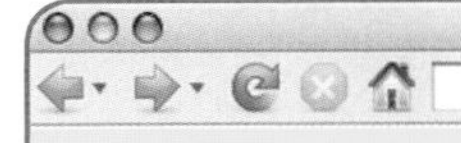

Sara, 13 Jahre aus Norwegen
29. April
Hallo, ich bin Sara. Ich wohne in Norwegen.
Ich bin dreizehn Jahre alt. Ich turne und reite gern. Ich liebe Gelb und Blau.
Schreibt doch mal! Sara

3. Mai von Nina P.
Hallo Sara,
ich finde es toll, dass du turnst und reitest. Das mache ich auch. Und ich mache Ballett. Ich schwimme und ich treffe meine Freundinnen. Ich mag die Farbe Grün. Ich mag Pizza sehr!
Liebe Grüße
Nina

4. Mai von Monica
Liebe Sara,
ich bin Moni. Ich bin im Moment im Computerraum. Wir haben Deutsch. Meine Lieblingsfarbe ist Blau. Mein Lieblingstier ist das Pferd. Ich liebe Musik.
Viele Grüße
Moni

5. Mai von Gianna
Hallo Sara,
ich heiße Gianna. Ich bin 14 Jahre alt. Ich wohne in Bozen. Ich mache Eiskunstlaufen. Meine Lieblingsfarben sind Gelb und Schwarz. Mein Lieblingssänger ist Justin Bieber. Magst du auch Musik? Antworte, bitte. Danke,
Gianna

P **b Projekt: Schreib jetzt deinen Steckbrief. Nenne 10 Informationen.**

c Stellt euren Nachbarn/eure Nachbarin vor. Nennt alle 12 Informationen vom Steckbrief aus 9a (Nachname, Vorname, Alter ...).

Sie/Er wohnt in … liest gerne … liebt … spielt … isst sehr gerne …

Hobby Shopping

11 Im Kaufhaus

1.74 **a Hört den Anfang von einem Gespräch. Welches Kleidungsstück sucht Robert?**

1.75 **b Hört und lest den Dialog komplett. Spielt den Dialog dann zu dritt.**

16

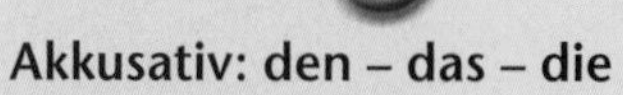

Akkusativ: den – das – die

der Pullover:
Wie findest du d**en** Pullover?
Wie findest du das Kleid?
Wie findest du die Jeans?
das und **die** bleibt gleich!

● Und? Was suchst du?
○ Einen Pullover … Wie findest du *den* hier?
● Rot? Hm, ich weiß nicht.
○ Und *den*?
● Grau? … Das ist total langweilig.
○ Und Schwarz?
● Schwarz? … Ja, Schwarz finde ich besser.
○ Okay, *den* Pullover nehme ich.

▲ Guten Tag.
○ Hallo.
▲ Möchtest du *den* Pullover?
○ Ja, bitte.
▲ Das macht 19 Euro 90.
○ Bitte.
▲ 20 Euro, danke. … Und 10 Cent zurück.
○ Auf Wiedersehen.
▲ Danke … Wiedersehen.

12 Über Kleidung sprechen – Ordnet die Redemittel im Heft.

Der/Das/Die … gefällt mir gut/besser/sehr. • Das ist super/schön.
Wie findest du den/das/die …? • Ich weiß nicht.
Den … mag ich nicht. • Wie gefällt dir der …?
Der … sieht gut/cool/klasse aus. • Den … finde ich blöd/nicht gut.
Den … mag ich gerne. • Den … finde ich gut/besser.

etwas gut finden	etwas nicht gut finden	Fragen
… gefällt mir gut.	… finde ich blöd.	Wie …?

13 Kleidung aussuchen und bezahlen

a Schreibt Dialoge wie in Aufgabe 11b. Ändert Kleidungsstücke, Farben, Preise ...

b Spielt eure Dialoge zu dritt in der Klasse.

c Trendfarben in der Klasse. Macht eine Umfrage.

	Blau	Weiß	Schwarz	Gelb	Grün	Rot	Grau
Hosen	IIIII	IIII	IIIII IIII	I	I	III	...
Pullover							
...							

Ich finde Hosen in Grün scheußlich!!!

14 Du und deine Farben. Erzählt in der Klasse. Welche Farben mögt ihr (nicht)? Sucht vier Farben aus und sprecht in der Klasse.

Meine Klamotten sind bunt.

rot
blau
hellblau
gelb
grün
rosa
lila
orange
braun
grau
schwarz
weiß

meine Tasche ist ...

meine Schuhe sind ...

meine Kleidung ist ...

meine Haare sind ...

mein Fahrrad ist ...

hellgrün dunkelgrün
hellblau dunkelblau

7

Ich spiele gerne Gitarre, aber ich faulenze lieber.

Das kann ich nach Kapitel 7

Wörter, Sätze, Dialoge	**Übt zu zweit**
Hobbys Computerspiele, Tennis spielen, kochen, faulenzen, joggen, Musik hören, fernsehen, Musik machen, basteln, Freunde treffen, Kleidung (ein)kaufen, …	**Welche Hobbys hast du? Nenne drei Hobbys.** *Ich gehe …*
Kleidungsstücke die Hose, der Pullover, das Kleid, das T-Shirt, die Jacke, die Bluse, die Jeans	**Wie heißen die Kleidungsstücke?**
Zeitangaben am Morgen, am Mittag, am Nachmittag, am Abend am Montag, am Wochenende um 9 Uhr, um 17 Uhr • in den Ferien	**Was macht ihr wann? Ergänzt die Sätze.** Am Morgen … Am Nachmittag … Am Sonntag … In den Ferien …
Sagen, wie man etwas findet ● Wie findest du …? ○ Das gefällt mir … gut / besser (als) / gar nicht. ● Das finde ich …	**Schreibt drei Fragen. Fragt und antwortet zu zweit.** Wie findest du …?
Bezahlen ● Das macht … ○ Bitte. ● Danke. Und … zurück.	**Spielt zwei kleine Dialoge.** *Das macht …* *Bitte.* *Danke. Und … zurück.*

Grammatik	**Übt zu zweit**
Nomen und Verben Gitarre spielen, Gitarre üben Briefe schreiben, Briefe lesen	**Welche Verben passen?** Gitarre ▒ • Bücher ▒ • Briefe ▒ • Spaghetti ▒ • in die Stadt ▒ • Kleidung ▒
Zeitangaben im Satz Am Montag spiele ich Tennis. Um drei Uhr treffe ich Anja. Am Abend sehe ich fern.	**Ergänzt die Sätze.** … faulenze ich. … gehe ich in die Schule. … treffe ich meine Freunde.
gut – besser (+ als) / gern – lieber (+ als) Ich finde Hunde besser als Katzen. Ich mag Cola lieber als Wasser.	**Schreibt vier Sätze.** Ich finde … besser als … Ich trinke/esse/mag/spiele … lieber als …
Verben: regelmäßig und unregelmäßig gehen – lesen – laufen du gehst – du **lie**st – du **läu**fst er geht – er **lie**st – er **läu**ft	**Ergänzt** ***lesen/kommen/sehen.*** ▒ du zu Hause fern? ▒ du mit ins Kino? Sam ▒ keine Bücher.

Mit Sprache handeln

Ich kann sagen, was ich (nicht) gut/besser finde

● Wie findest du …?
○ … finde ich cool/klasse/blöd …
● … gefällt mir gut/super/nicht.

● Wie findest du die Hose?
○ Die Hose finde ich blöd. Die Jeans finde ich besser.

Ich kann sagen, was ich (nicht/lieber) mag

● Magst du Bücher?
○ Nein, aber ich mag Comics.
● Bücher mag ich lieber/nicht.

Ich kann ...
- über meine Familie und meine Verwandten sprechen
- Anweisungen verstehen und geben
- unser Haus beschreiben

Meine Familie – unser Zuhause

Hier seht ihr meine Mutter.
Mein Papa ist Polizist.
Meine Schwester heißt Melanie.
Ich heiße Marius.
Mein Opa wohnt bei uns.
Er mag unser Haus sehr.
Sie liebt unsere Katzen Miez und Mauz.
Das ist mein Zimmer.
Das ist sein Motorrad.
Das sind ihre Freundinnen.

1 Marius und seine Familie

a Findet die passenden Informationen zu den Personen.

b Hört zu und kontrolliert eure Lösungen.

2.2

Verwandte

2 Familienfotos

Alles klar … Mutter ist mother!

a Welche Wörter kennst du?

die Großeltern
die Großmutter • die Oma
der Großvater • der Opa

die Eltern
die Mutter • der Vater

die Verwandten
die Tante • der Onkel
die Cousine • der Cousin

die Kinder
die Geschwister
die Schwester • der Bruder

oncle cugina grand-mère

2.3 **b Vorsprechen – nachsprechen. Hört zu und sprecht nach.**

3 Familien beschreiben (1)

2.4 **a Hört zu. Wie viele Personen beschreibt Yvonne?**

3 Familien beschreiben (2)

b Wer ist wo?
Sprecht in der Klasse.

rechts
hinten
links
vorne in der Mitte

Wer bin ich?

c Hört noch einmal und lest mit.
Welche Fotos von Aufgabe 3a passen?

2.5

Hallo, ich bin Yvonne, ich bin 15 Jahre alt und das ist meine Familie. Vorne in der Mitte, das bin ich. Links ist meine Schwester. Sie heißt Annika. Hinten in der Mitte ist mein Vater. Er ist Koch. Und rechts sitzt meine Mutter Uschi. Sie ist immer lustig. Das Foto war ihre Idee. Es ist ein Geschenk für meinen Opa. Er wird 65. A

Und das hier ist mein Onkel Fabian. Er wohnt in Rostock. Und das sind meine Cousinen Anna und Lisa. B

Das ist ein lustiges Bild. Das ist im Theater in München. Links steht mein Onkel Burkhardt, hinten rechts steht meine Tante Clara. Hinten in der Mitte stehen mein Cousin Max und meine Cousine Tonja. Sie spielen mit Marionetten. Vorne in der Mitte ist mein Cousin Ole. C

Ich finde zwei Serien im Fernsehen super. Die Serie „Türkisch für Anfänger“ kommt aus Berlin. Doris Schneider liebt Metin Öztürk. Beide haben Kinder. Doris ist die Mutter von Lena und Nils, Metin ist der Vater von Cemil und Yagmur. In der neuen Familie gibt es oft Konflikte, aber auch viel Spaß. Die Serie ist sehr lustig. Und ich liebe die Simpsons. Vater Homer, Mutter Marge, Bart und seine Schwestern sind genial. D

d Was sagt Yvonne? Ordnet die Sätze.

1. Meine Cousinen …
2. Mein Opa …
3. Marge und Homer Simpson …
4. Max …
5. Meine Mutter …
6. Mein Onkel Fabian …
7. Nils und Lena …

a. … wohnt in Rostock.
b. … heißen Anna, Lisa und Tonja.
c. … bekommt ein Foto.
d. … wohnen zusammen mit Cemil und Yagmur.
e. … ist der Bruder von Tonja.
f. … ist lustig.
g. … haben drei Kinder.

Meine Cousinen heißen …

e Informationen erfragen und wiederholen. Wie heißt …? Wie alt ist …? Wo …? Was macht …?

Wie heißt deine Mutter?

Meine Mutter heißt Lara Croft.

Ah! Deine Mutter heißt Lara Croft. Und dein Vater?

Komm rein!

4 Zu Hause

2.6 **a Hört die CD. In welcher Reihenfolge zeigt Tommy die Zimmer?**

1

die Küche

2

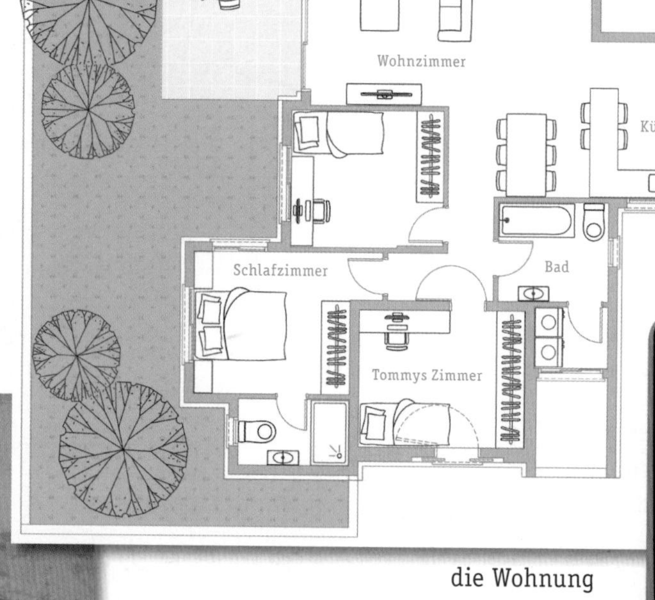

die Wohnung

3

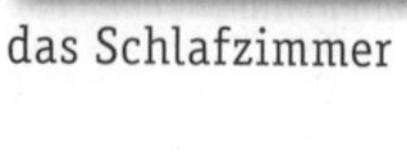

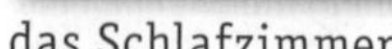

das Schlafzimmer

6

sein Zimmer

4

das Bad

5

das Wohnzimmer

Das ist unser Haus.

Zuerst zeigt er ... dann ... danach ... zum Schluss ...

b Zimmer und Aktivitäten. Was passt zusammen? Ergänzt.

1 Das ist unser Wohnzimmer.
2 Das ist das Bad.
3 Das ist die Küche.
4 Das ist das Schlafzimmer.
5 Das ist mein Zimmer.

a Hier kochen meine Eltern.
b Hier mache ich Hausaufgaben.
c Hier sehen wir fern.
d Hier dusche ich.
e Die Katzen lieben es.

5 Mein Zuhause

a Erstellt eine Mindmap: Bei uns zu Hause.

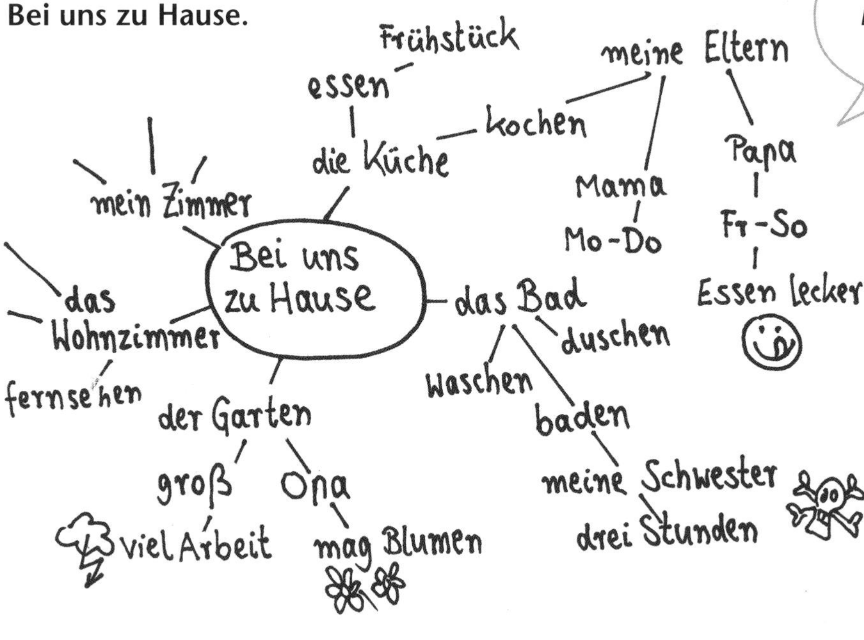

Das ist unsere Küche. Meine Eltern kochen gerne. Das Essen ist immer lecker! Mein Vater kocht immer am Wochenende.

b Wählt Informationen aus und erzählt in der Klasse.

die Küche → kochen → meine Eltern → Papa → Fr, Sa, So → Essen lecker

6 Projekt: Meine Familie und ich. Bringt Familienfotos mit.

P

Ich heiße ...
Ich bin ... Jahre alt.
Ich habe einen Bruder / ... Brüder.
eine Schwester / ... Schwestern.
keine Geschwister.

Mein Vater heißt ...
Meine Großeltern sind ...
Wir wohnen in ...
Das ist unser Haus.
unser Auto.
mein Zimmer
Wir haben ...

Vorne links ist/sitzt mein/e ...

Rechts seht ihr meine/n ...

Ärger zu Hause & Sprache in der Klasse

7 Krach bei Miriam

2.7 **a Hört zu. Wie geht es weiter? Sammelt Ideen in der Klasse.**

- ● Miriam, mach doch mal die Musik leiser.
- ○ Nein.
- ● Miriam, mach sofort die Tür auf.
- ○ Geh weg! ... Ich bin sauer.
- ● Miriaaam, komm jetzt bitte raus.
- ○ Nein, lass mich in Ruhe!
- ● Miriam? Du hast Besuch.
- ○ Wer denn?

2.8 **b So geht es weiter. Hört noch einmal und vergleicht mit euren Ideen.**

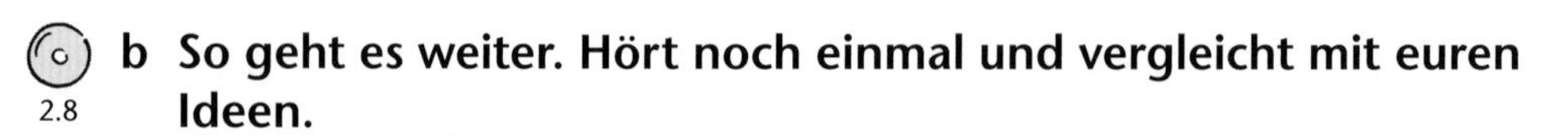

8 Bei euch zu Hause

2.9 **a Was ist typisch? Hört zu und sprecht nach.**

Räum endlich dein Zimmer auf.
Mach sofort die Musik aus.
Beeil dich.
Mach die Hausaufgaben.
Mach den Computer aus.
Ruf Oma an.
Lies mal ein Buch.

2.10 **b Coole Antworten. Hört die Dialoge. Sprecht dann die Antworten.**

Später!
Oh, langweilig.
Jetzt nicht.
Vergiss es.
Oh Mann!
Morgen.

c Arbeitet zu zweit. Spielt Minidialoge mit Äußerungen aus Aufgabe a und b.

d Was sagt ihr in eurem Land? Sammelt in der Klasse.

9 Bitten in der Klasse

a Lest die Sätze und ordnet im Heft: Wer spricht? Lehrer oder Schüler?

1. Bitte lies den Text vor.
2. Bitte schreib den Satz an die Tafel.
3. Bitte sprechen Sie lauter/langsamer.
4. Bitte wiederholen Sie das.
5. Erklären Sie das, bitte.
6. Hilf mir!!!
7. Hör sofort auf!
8. Seid leise, bitte.
9. Schlagt bitte das Buch auf.
10. Gib mir dein Lineal, bitte.

b Sprecht die Sätze im Chor.

c Sprache in eurer Klasse – sammelt weitere Sätze.

10 Imperative

a Ergänzt die Regel im Heft.

b Schreibt noch drei Beispiele wie in der Tabelle mit den Verben *wiederholen, aufschlagen, geben.*

schreiben — lesen — auf|räumen — sprechen — an|rufen — machen

➲13, 21 G

du	ihr	Sie
Schreib bitte den Satz!	Schreibt bitte ...	Schreiben Sie bitte ...
Lies bitte den Text!	Lest bitte ...	Lesen Sie bitte ...
Räum dein Zimmer auf!	Räumt ...	Räumen Sie ...
Sprich nicht so laut!	Sprecht nicht so ...	Sprechen Sie ...
Ruf bitte Oma Erna an!	Ruft bitte ...	Rufen Sie ...
Mach schnell! Es ist schon 8 Uhr!	Macht schnell! Es ist schon ...	Machen Sie schnell! Es ...

	du	ihr	Sie
⚠ sein	Sei bitte leise!	Seid bitte leise!	Seien Sie bitte leise!
⚠ haben	Hab keine Angst!	Habt keine Angst!	Haben Sie keine Angst!
laufen	Lauf ...!	Lauft ...!	Laufen Sie ...!
fahren	Fahr ...!	Fahrt ...!	Fahren Sie vorsichtig!
schlafen	Schlaf ...!	Schlaft ...!	Schlafen Sie nicht ein!

Regel

du schreib~~st~~ → schreib!

ihr schreibt → ▢

Sie schreiben → ▢

Habt keine Angst! Er ist ganz lieb!

11 Bitten Bitten Bitten

a Hallo, lieber Lehrer!!! Sprecht in der Klasse.

Geben Sie bitte keine Hausaufgaben.
Liebe Frau ..., bitte ...
Bleiben Sie morgen zu Hause, bitte!

b Hallo, liebe Eltern!! Schreibt fünf Bitten an die Eltern.

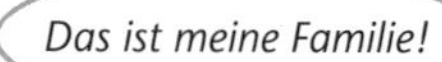

Das kann ich nach Kapitel 8

Wörter, Sätze, Dialoge

Familie

die Großeltern:	die Großmutter (Oma) – der Großvater (Opa)
die Eltern:	der Vater – die Mutter
die Geschwister:	die Schwester – der Bruder
die Verwandten:	die Tante – der Onkel die Cousine – der Cousin

Übt zu zweit

Sprecht über eure Familie.
Ergänzt je drei Sätze.
Meine Oma / Mein Opa heißt …
Meine Mutter / Mein Vater mag …
Meine Schwester / Mein Bruder spielt …
Meine Tante / Mein Onkel wohnt in …

Was ist wo?

links

hinten

in der Mitte

vorne

rechts

Wer ist in der Mitte, hinten, links, rechts?

das Haus/die Wohnung
das Wohnzimmer, das Schlafzimmer,
die Küche, das Bad, das Zimmer von …, der Garten

Welche Zimmer passen?
kochen → K…
duschen → B…
fernsehen → W…
telefonieren → …
schlafen → …

Grammatik

Imperativ

Komm / Kommt / Kommen Sie } doch mit in/ins ...

Gib / Gebt / Geben Sie } mir bitte das Buch.

Übt zu zweit

Mach dies, mach das.
Ordnet zu und sprecht zu zweit.

Vergiss	dein Zimmer auf!
Mach	das Wort!
Sprich	deine Jacke nicht!
Buchstabier	deine Hausaufgaben!
Räum	lauter, bitte!

Mit Sprache handeln

Ich kann über meine Familie sprechen.
Das ist meine Familie.
Mein Vater heißt … / Er ist …
Meine Mutter heißt …
Ich habe … Geschwister.

Ich kann unser Haus / unsere Wohnung beschreiben.
Wir wohnen in …
Unsere Wohnung/unser Haus hat … Zimmer.
Wir haben (k)einen Garten.

Ich kann Anweisungen verstehen und geben.
● Komm mit zur Party.
○ Nein, ich habe keine Lust / keine Zeit / …

● Hol mich bitte ab.
○ Ja, gerne. Wann?

● Gib mir 20 Euro.
○ Ich? Wieso ich?

Wörter in Paaren lernen
Vater – Mutter
vorne – hinten
kochen – Küche

Karussell Plateau

Keine Hunde.

Was ist dein Problem?

Deine Schuhe? Die finde ich super!

Finde die Verben: Gitarre ..., Pizza ..., in die Stadt ...

Nein, ich habe keinen Computer.

Vorne rechts, ist das dein Opa?

Wer ist das Mädchen in der Mitte?

Klar, ich rufe dich an!

Was machst du am Wochenende?

Ja, ich kaufe Schuhe!

Der Elefant ist blau!

spielen, essen, gehen

Wie sieht deine Katze aus?

Nein. Ich mag sie nicht!

Bist du oft im Internet?

Die Grammatik! Hilf mir, bitte!!!!

Mein Onkel kocht jeden Tag.

Sie ist schwarz und weiß.

Der Lehrer spricht leise. Du sagst:

Nein, mein Opa steht hinten links!

Wie findest du meine Schuhe?

Das stimmt nicht, er ist grau.

Gehst du in die Stadt?

Das ist doch klar! Der Papagei.

Was findest du besser? Rot oder Grün?

kochen

Kannst du mich um 4 Uhr anrufen?

Seine Frau kocht nur am Wochenende.

Welches Tier kann fliegen und ist bunt?

... finde ich viel besser als ...

Kommst du mit zu Erika? Sie hat Geburtstag.

Das ist Clarissa, meine Cousine!

Welches Verb passt? Küche und ...

Am Wochenende ... ich ...

Meine Katze mag ...

Sprechen Sie bitte lauter!

1 Zuerst Blau und dann Rot. Was passt? Fragt und antwortet zu zweit.

Training

2 „Stimmt nicht" – alles falsch!
Lest die Aussagen zu zweit vor. Vergleicht mit den Fotos und korrigiert wie im Beispiel. Unten findet ihr Lösungshilfen.

Das ist falsch!
Das ist nicht richtig!
Das stimmt nicht!

Die Schuhe sind gelb.

Das stimmt nicht. Die Schuhe sind … .

Das stimmt nicht, ICH heiße Bello!!!

1. Die Schuhe sind gelb.
2. Am Dienstag übt Petra Gitarre.
3. Der Hund von Caro heißt Bello.
4. Laura liest gerne Bücher.
5. Mein Onkel und meine Tante essen gerne Pizza.
6. Jenny und Natalie machen Hausaufgaben.
7. Herr Schmidt fährt mit dem Bus in die Schule.
8. Enrico kommt aus Italien.
9. Max geht in die Stadt.
10. Der Film fängt um 18 Uhr 30 an.

a. Er fährt mit dem ___ !
b. Sie essen lieber ___ !
c. Die Schuhe sind ___ !
d. Er kommt aus ___ !
e. Er heißt ___ !
f. Er geht auf den ___ !
g. Er fängt um ___ an!
h. Sie spielen ___ !
i. Sie übt ___ !
j. Sie liest lieber ___ !

3 Ein Zimmer, zwei Sätze

a Wie heißen die Zimmer?

b Was passt? Schreibt sechs kleine Texte ins Heft und lest sie vor.

Das ist unser W...

Das ist unser B...

Das ist mein Z...

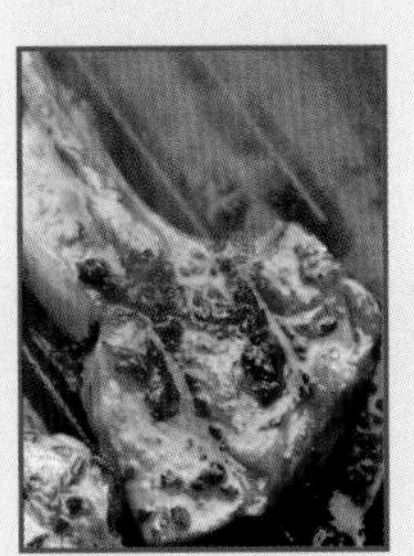

Das ist unsere K...

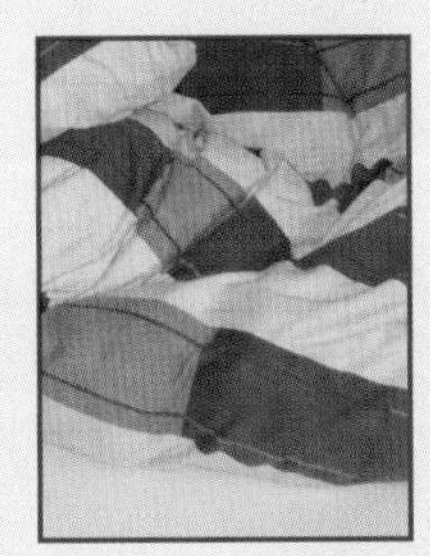

Das ist unser S...

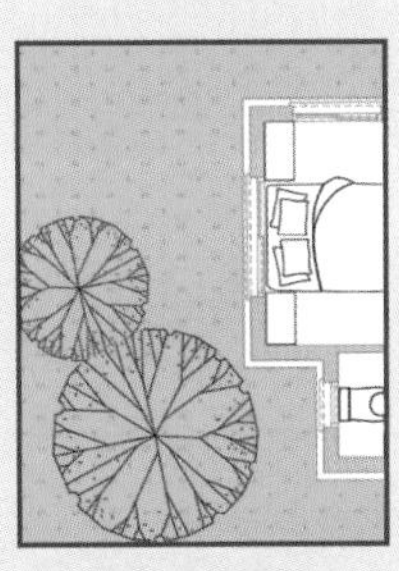

Das ist unser G...

Mein Vater macht immer Pizza.
Das ist echt blöd!
Da schlafen meine Eltern.
Am Wochenende essen wir hier Kuchen und trinken Kaffee.
Manchmal liegt auch unsere Katze im Bett.
Hier spiele ich am Computer.
Hier arbeiten Oma und Opa.
Hier sitzt die ganze Familie und sieht fern.
Hier kocht meine Mutter und manchmal auch mein Vater.
Meine Schwester duscht immer 1 Stunde.
Es gibt viele Blumen.
Hier mache ich meine Hausaufgaben.

Das ist unser Wohnzimmer. Hier sitzt die ganze Familie ...

c Kontrolliert mit der CD. 2.11

4 Familie

a Ergänzt das Gedicht.

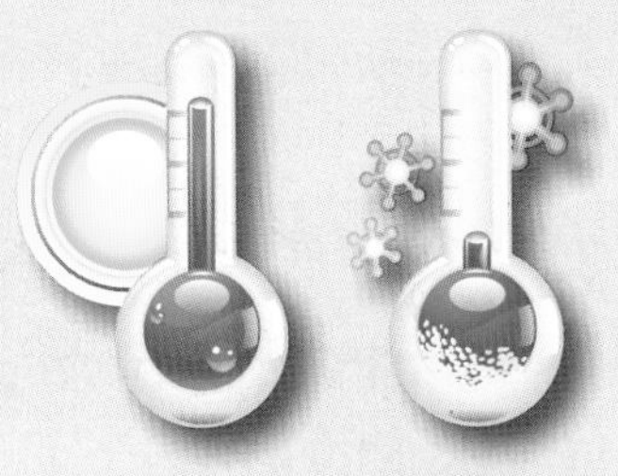

Mein Vater sagt schwarz, ▒
Meine Schwester sagt kalt, ▒
Mein Opa liebt Rom, ▒
Mein Onkel mag Fisch, ▒
Die Cousine spielt Tennis, ▒
Meine Familie, ich lieeeebe sie.

der Cousin läuft gern Ski.
meine Mutter sagt weiß.
meine Oma liebt Nizza.
mein Bruder sagt heiß.
meine Tante mag Pizza.

b Hört dann die CD. 2.12

c Lernt das Gedicht auswendig und spielt es vor.

Mit Notizen lernen

5 Maria

a Lest die Notizen und erzählt.

Sie heißt Maria und sie ist 12 Jahre alt. Sie kommt aus …

Maria, 12
Italien/Rom
Hund: Didi ♡
lesen, schwimmen,
Klavier spielen, Sport ☹

b Hört die CD und vergleicht. (CD 2.13)

6 Moritz

a Macht Notizen zu dem Text über Moritz und vergleicht die Ergebnisse.

Ich heiße Moritz.
Ich wohne in Deutschland, in Frankfurt.
Ich bin 14 Jahre alt und habe noch eine Schwester, Hannah.
Sie tanzt Hip Hop und ich spiele Badminton.
Ich mache viel mit dem Computer und ich spiele Gitarre in der Schulband.

Moritz / Deutschland /
Frankfurt
14 / Schwester / ...

b Stellt jetzt Moritz vor (wie Maria).

Moritz wohnt in Deutschland, in Frankfurt. Er ist …

7 Carola und Mathelehrer Schmidt

a Hört die Texte und macht Notizen. (CD 2.14)

b Stellt die Personen vor. Vergleicht die Ergebnisse.

Sprechen/Aussprache

8 Imperative. Hört die Beispiele und übt zu zweit.

2.15

Lies den **Text**.
Bitte, lies den **Text**.
Bitte, lies doch den **Text**!
Bitte lies doch jetzt den **Text**!
Bitte lies doch jetzt endlich den **Text**!

Mach die **Musik** aus!
Mach bitte die **Musik** aus!
Mach bitte sofort die **Musik** aus!
Mach sofort die **Musik** aus!!!!
SOFORT!!!

Komm sofort raus!

Gib mir das **Buch**. Bitte, gib mir das **Buch**. …
Mach die **Hausaufgaben**! Mach ...
Ruf deine **Oma** an! Ruf ...

Räum dein **Zimmer** auf.
Lach doch mal.
Mach mal **Sport**!
Sei **ruhig**.
Sei **lieb**!

Komm her!
Komm bitte her!

9 Wie findest du ...?

a Vorbereitung: Schreibt 10 Kärtchen mit Smileys – 5 positiv, 5 negativ.

b Arbeitet zu zweit. A wählt etwas im Kasten aus, stellt eine Frage. B zieht ein Kärtchen und antwortet. Dann wechseln.

- ● Wie findest du meinen Pullover?
- ○ Ganz o.k.
- ● Und wie findest du meine Jeans?
- ○ Furchtbar!
- ● Echt?

Wie findest du ...
... den Mathelehrer?
... das Kleid von ...?
... meine Uhr?
... unsere Schule?
... meine Schuhe?

Ganz o.k.
Prima!
Toll!
Nicht schlecht.
Wahnsinn!
Gefällt mir gut!
Ist Klasse.

schrecklich
furchtbar
total blöd
echt schlimm
Katastrophe
nicht so gut
gefällt mir nicht

Video (Teil 2)

10 Caro ruft Karim an. Was sagen die beiden? Wählt aus und schreibt den Dialog ins Heft. Kontrolliert mit dem Video oder der CD.

2.16

● Karim.
○ Hey Karim.
● Hey Caro, was machst du jetzt / gerade / im Moment / so?
○ Ähm, Ich bin mit Ginger zu Hause / in der Stadt / im Park / im Schwimmbad.
● Cool, hast du um 3 Uhr / 4 Uhr / 5 Uhr Zeit?
○ Oh nee, um ▇ Uhr kann ich nicht.
Da geh ich mit der Jenny in die Stadt shoppen / ein Eis essen / eine Cola trinken / Kuchen essen.
● Mist. / Schade. / Tut mir leid.
○ Aber jetzt hätte ich Lust / Zeit!
● Wo genau bist du?
○ Äh, ah ja, kennst du die Bank / das Tor / das Café?
● Klar, ich komme in 5 Minuten / in 10 Minuten / in 15 Minuten.

11 Caro und Karim

a Was stimmt? Denkt nach und notiert die Antwort. Korrigiert dann mit dem Video. Wer hat die meisten Antworten richtig?

1. Karim trägt eine Uhr / keine Uhr?
2. Karim hat ein Tatoo / kein Tatoo?
3. Ginger hat ein Halsband / kein Halsband?
4. Die Augen von Ginger sind grün/braun/blau?
5. Auf dem T-Shirt sieht man das Wort: Club/Super/Pop?
6. Die Jeans von Karim ist blau/schwarz/grün.
7. Am Tor ist eine Katze / eine Frau / ein Kind.

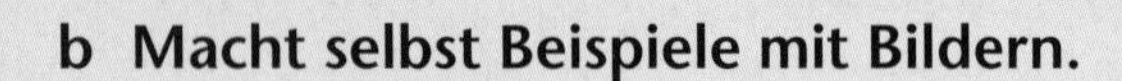

b Macht selbst Beispiele mit Bildern.

Lernen lernen

12 Was stimmt für dich? Was stimmt nicht? Lest und notiert. Vergleicht in der Klasse. Was ist das Problem Nummer 1?

Meine Freunde kommen jeden Tag. Dann arbeite ich nicht.
Mein Zimmer ist ein Chaos. Ich suche oft meine Sachen.
Was ist wichtig? Was ist nicht wichtig? Keine Ahnung!
Ich fange zu spät mit dem Lernen an. Das gibt Stress.
Ich mache die Hausaufgaben spät am Abend.
Ich mag Fernsehen. Jeden Tag zwei Stunden.
Ich habe viele Hobbys. Das kostet Zeit.
Computerspiele sind mein Problem.
Ich kann nicht „Nein" sagen.
Ich telefoniere sehr viel.

Lerntipp
Kontrolliere die Zeit!

A

Liebe Oma,
ich wünsche dir ein frohes Fest!
Ich freue mich schon auf die Geschenke.
Ich bin gespannt – vielleicht bekomme
ich einen neuen I-pod?
Ich war ja soooo brav...
Wir besuchen dich im neuen Jahr.
Herzliche Grüße!
Dein Christoph
P.S. Die Karte hat Milla gemalt!

Alles Gute!

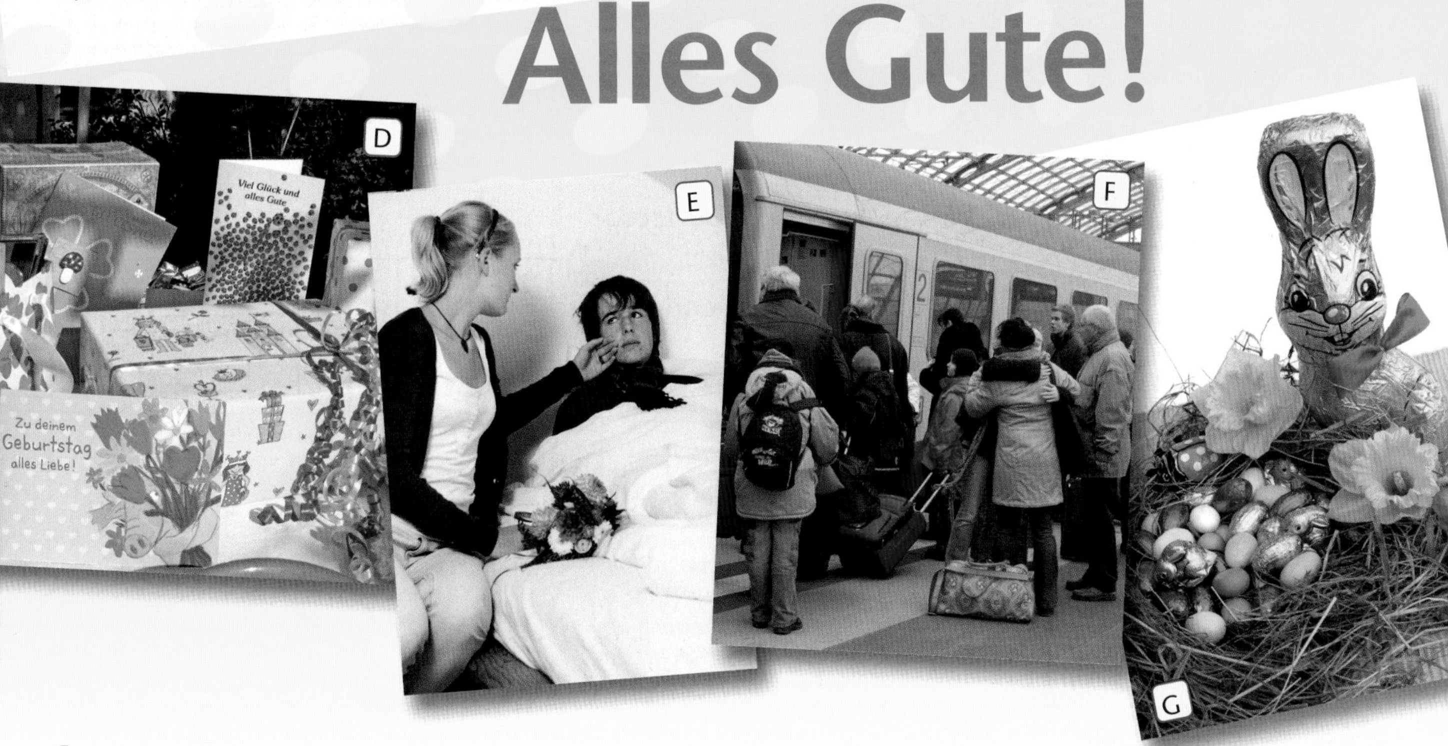

1 Wünsche und Situationen

a Was kennt ihr?

Geburtstag • Klassenarbeit • Weihnachten • Krankenbesuch • Ostern • Abendessen • Reise

b Hört die Dialoge und ordnet zu. (CD 2.17)

Herzlichen Glückwunsch zum Geburtstag!
Viel Glück!
Frohe Weihnachten!
Guten Appetit!
Frohe Ostern!
Gute Reise!
Gute Besserung!

1 Guten Appetit! – Foto B

Herzlichen Glückwunsch!

2 Geburtstagsfest in D–A–CH

a Lest den Text und beantwortet die Fragen.

Wer feiert Geburtstag? Was gibt es zum Geburtstag?
Wer kommt zur Feier? Was macht man am Geburtstag?

In Deutschland, in Österreich und in der Schweiz ist der Geburtstag sehr wichtig.
Kinder und Jugendliche feiern diesen Tag jedes Jahr. Zum Geburtstagsfest laden sie die Familie, ihre Freunde und Bekannten ein. Am Geburtstag bekommt das „Geburtstags-kind" viele Geschenke.
Man isst Kuchen und trinkt Saft, Cola oder Limonade.
Viele machen eine Geburtstagsparty mit Geburtstagsspielen oder mit Musik zum Tanzen. Manche Geburtstagskinder feiern mit ihren Gästen auch im Schwimmbad oder sie machen einen Ausflug oder sie gehen zusammen ins Kino.

Jahreszeiten

Winter

Frühling

Sommer

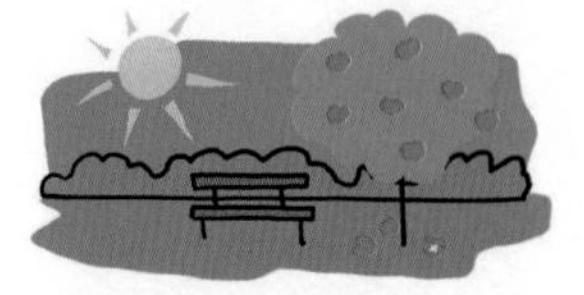

Herbst

b Sammelt Geburtstagswörter im Text und macht eine Mindmap.

3 Wann hast du Geburtstag?

a Macht einen Geburtstagskalender in der Klasse.

b Aussprache: Welche Monate hört ihr? Schreibt die Monatsnamen.

2.18

c Hört noch einmal und markiert den Wortakzent.

Januar, Februar …

d Geburtstage – Fragt in der Klasse.

Wer hat im Januar Geburtstag?
Wer hat im Sommer Geburtstag?
Wann hast du Geburtstag?
Wann hat dein Bruder / deine Schwester / … Geburtstag?

4 Die Einladung

a Lest die Einladung und beantwortet die Fragen.

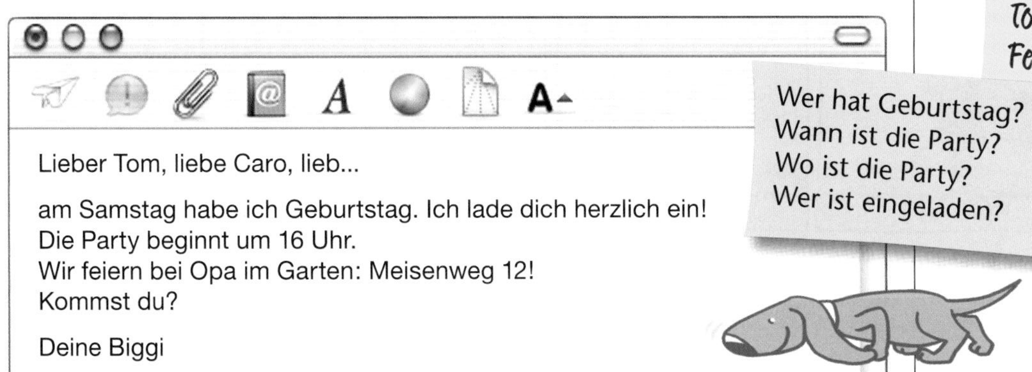

Lieber Tom, liebe Caro, lieb...

am Samstag habe ich Geburtstag. Ich lade dich herzlich ein!
Die Party beginnt um 16 Uhr.
Wir feiern bei Opa im Garten: Meisenweg 12!
Kommst du?

Deine Biggi

Wer hat Geburtstag?
Wann ist die Party?
Wo ist die Party?
Wer ist eingeladen?

Tom, Anja, Eva, Felix, Caro, Meike

b Hört und lest die Antworten. Wer kommt auf die Party?

2.19

Super! Ich komme! Ich bringe coole Musik mit.
☺ Felix
Hi Biggi! Caro kommt! M2! bb, dd!
Meike
Liebe Biggi!
Danke für deine Einladung! Ich muss babysitten ;(Ruf mich bitte an.
Grüße! Eva

SMS-Kürzel

4u → for you – für dich
bb → bis bald
cu → see you – tschüs, bis bald
dd → drück dich
gn8 → gute Nacht
hdl → hab dich lieb
mfg → mit freundlichen Grüßen
ME2/M2 → me too – ich auch

c Ihr seid auch zur Party eingeladen. Schreibt eine Antwort/SMS.

5 Biggi lädt Eva ein.

a Hört den Dialog. Vergleicht mit der Grafik.

2.20

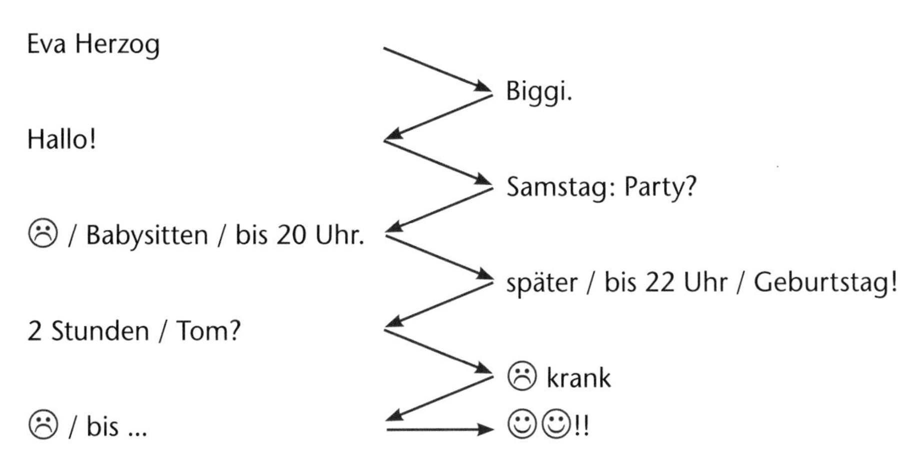

b Schreibt und spielt das Gespräch.

Gute Besserung!

6 Rudi und Lara geht es schlecht. Was tut weh?

Mir tut der Kopf weh – und mein Arm!
Aua!!!!!
Ooooh! Mein Hals, mein Kopf!
Hals
Arm
Fuß

7 Wie geht es dir?

2.21

a Hört zu und beantwortet die Fragen.

Wer besucht wen?
Wer hat Probleme?
Was hat er?
Wie war die Party?
Was hat sie?

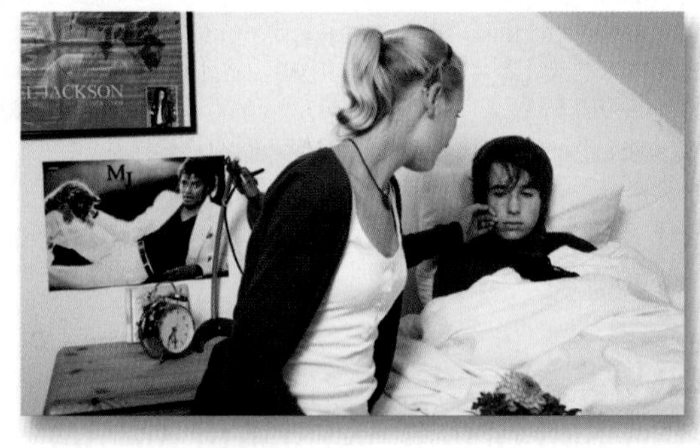

b Macht ein Lernplakat: Körperteile.

derarmderrückendasohrderzahnderbauchdienasederfuß

dasaugediehanddasbeinderhalsdermundderkopf

8 Hört und spielt die Dialoge.

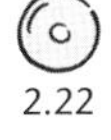
2.22

Dialog 1
- ● Kommst du mit ins Kino?
- ○ Nee, ich kann nicht mitkommen. Mir ist schlecht und ich habe Kopfschmerzen.
- ● Was ist los?
- ○ Mathetest.
- ● Na dann, gute Besserung!

sein
ich war
du warst
er/es/sie war

Dialog 2
- ● Hallo Alex! Wir gehen in den Park, Fußball spielen.
- ○ Ich kann nicht mitkommen. Mein Fuß tut weh.
- ● Wann ist das passiert?
- ○ Gestern im Park, beim Fußball spielen ...
- ● Warst du im Krankenhaus?
- ○ Nö, zuerst beim Arzt und dann in der Apotheke.

9 Wo warst du gestern? Hört zu und sortiert den Dialog im Heft.

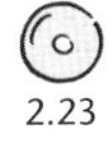
2.23

Ja, danke, es geht mir besser!
Hallo Paul, wo warst du gestern?
Es war sehr schön! Die Musik war super!
Ich war krank. Ich hatte Fieber.
Wie war das Schulfest?
Bist du jetzt wieder o.k.?

Hallo Paul, ...

10 Und wo warst du gestern? – Lest die „Entschuldigungen" und übt zu zweit.

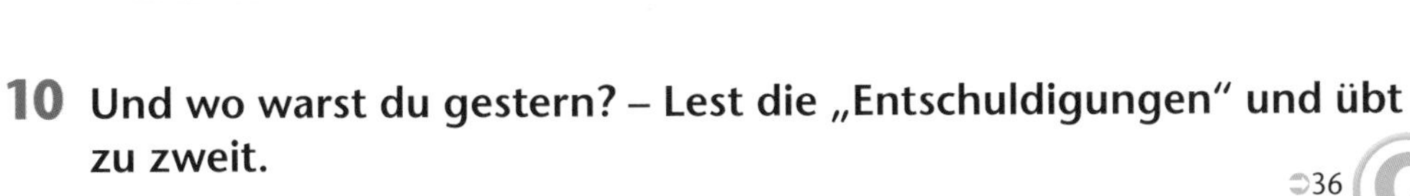

➲36 G

Gestern **war** ich	Gestern **war** ich	Gestern **war** ich	Gestern **hatte** ich
schwimmen. Fußball spielen. einkaufen. ...	nicht zu Hause. im Kino. nicht hier. weg. ...	krank. müde. total kaputt. ...	viele Hausaufgaben. keine Zeit/Lust. Nachhilfe in Mathe. Klavierunterricht. Kopfschmerzen ...

Wo warst du gestern?

Gestern war ich schwimmen.

haben
ich hatte
du hattest
er/es/sie hatte

Wo warst du gestern?

Ich war weg. Ich hatte keine Lust.

König für einen Tag

11 Was darf Peter am Geburtstag?

a Ergänzt die Sätze und lest sie vor.

einladen • ins Bett gehen • helfen • fernsehen • telefonieren • hören • nett • essen

1. Ich darf drei Stunden …
2. Ich darf alle meine Freunde …
3. Ich muss nicht in der Küche …
4. Ich darf Pommes, Hamburger, Kuchen …
5. Ich muss nicht früh …
6. Ich darf lange …
7. Ich darf meine Lieblingsmusik ganz laut …
8. Mein Vater ist den ganzen Tag …

b Sprecht in der Klasse: Was darfst du auch? Was musst du nicht?

Ich muss nicht ...

Ich darf ...

ich kann
du kannst
er/es/sie kann

wir können
ihr könnt
sie können

12 Modalverben: *können, müssen, dürfen.*

➲29, 35 G

a Schreibe zwei Sätze zu jedem Modalverb.

Ich (kann) sehr gut Gitarre (spielen).
Ich (muss) jeden Morgen (aufstehen).
Ich (darf) nicht ins Konzert (gehen).

b Ordnet die Sätze zu.

1. Ich darf lange schlafen.
2. Ich muss meine Hausaufgaben machen.
3. Ich muss früh aufstehen.
4. Meine Mutter kocht mein Lieblingsessen.
5. Ich darf nicht so lange aufbleiben.
6. Ich darf eine Party machen.

Geburtstag:	Schultag:
Ich ...	Ich ...

13 Stoffel hat Geburtstag – aber niemand will kommen. Erfindet Ausreden: Fragt und antwortet wie im Beispiel.

Ich mache am Samstag eine Party. Kannst du kommen?

Tut mir leid, ich kann nicht kommen, ich muss meinen Hund baden.

... ich darf nicht kommen. Ich muss ...

Kommst du mit? Wir ...
- Samstag eine Party machen
- ins Schwimmbad gehen
- einen Ausflug machen
- ins Kino gehen

Tut mir leid, ...
- Hausaufgaben machen
- mein Zimmer aufräumen
- Babysitten
- für den Mathetest lernen
- im Bett bleiben (krank)

14 Interviews zum Thema „Geburtstag"

2.24

a Hört zu und macht Notizen. Die Fragen helfen.

Party: Ja/Nein?
Zeit: Wann fängt die Party an? Wann hört sie auf?
Aktivitäten: Was machen die Jugendlichen?
Essen/Trinken: Was gibt es zu essen und zu trinken?
Personen: Wer kommt zur Party?
Geschenke: Was schenken wir ihm/ihr?
Jutta
Tobias
keine Party

b Berichtet in der Klasse.

Jutta macht keine ...

Sie geht mit den Eltern ...

c Projekt: Plant eure Traumgeburtstagsparty und sammelt Ideen zu dritt, zu viert: Wo? Wer? Was? Wann?

9

Das kann ich nach Kapitel 9

Wörter, Sätze, Dialoge

Monatsnamen
Januar, Februar, März, April, Mai, Juni, Juli, August, September, Oktober, November, Dezember

Jahreszeiten
Frühling, Sommer, Herbst, Winter

Fragen stellen
Wer hat im Sommer Geburtstag?
Wann hast du / hat dein Bruder Geburtstag?
Wo ist die Party?
Wer ist eingeladen?

Jemanden einladen
Kommst du mit ins Kino?
Ich mache am Samstag eine Party.
Ich lade dich zum Ausflug ein.

Körperteile
der Arm, das Auge, der Bauch, das Bein, der Fuß, der Hals, der Kopf, der Rücken, der Zahn, das Ohr, der Mund, die Hand, die Nase

Übt zu zweit

Ergänzt die Monatsnamen.
Frühling: März, ...
Sommer: Juni, ...
Herbst: Sep...
Winter: Dez...

Fragen stellen und beantworten:
● Wer hat ...? ○ Im Sommer hat ...
● Wann hast du ...? ○ Ich habe im ...
● Wo ist ...? ○ Die Party ist ...
● Wer ...? ○ Ich habe ...

Ihr bekommt eine Einladung zur Party.

Sagt zu.
● Super! Ich ...
○ Klar, wann ...?

Sagt ab.
● Tut mir leid, ...
○ Das geht leider nicht ...

Was tut weh?

Grammatik

Modalverben

	können	**müssen**	**dürfen**
ich	kann	muss	darf
du	kannst	musst	darfst
er/es/sie	kann	muss	darf
wir	können	müssen	dürfen

Präteritum von *sein* und *haben*

ich war	ich hatte
du warst	du hattest
er/es/sie war	er/es/sie hatte

Übt zu zweit

Welches Verb passt?
Ich ___ bis 22 Uhr feiern.
Du ___ deine Hausaufgaben machen!
Biggi ___ gut Gitarre spielen.

Schreibt vier Sätze mit *war* und *hatte*.
Gestern ___ ich im Kino.
Gestern ___ sie keine Schule.
Am Wochenende ... In den Ferien ...

Aussprache

Wortakzent
Januar, Februar, ...

Übt zu zweit

Markiert den Wortakzent.
September, Dezember, Juli, August

Mit Sprache handeln

Ich kann gute Wünsche sagen.
● Ich habe heute Geburtstag.
○ Herzlichen Glückwunsch!

● Morgen ist der Mathetest.
○ Viel Glück! / Alles Gute!

● Ich bin krank.
○ Gute Besserung!

Ich kann Ausreden/Entschuldigungen formulieren.
● Tut mir leid, ich hatte ... keine Zeit / zu viele Hausaufgaben / Kopfschmerzen.

Ich kann sagen, wie es mir geht.
● Wie geht es dir?
○ Es geht mir (nicht so) gut. / Es geht mir besser.

● Was ist los?
○ Ich habe Schmerzen. / Mir ist schlecht. / Ich habe Fieber.

● Was tut weh?
○ Mir tut alles weh. / Mein Bauch tut weh.

Ich kann ...
- über Orte in der Stadt sprechen
- sagen, wo etwas ist
- einfache Wegbeschreibungen verstehen und geben

Meine Stadt

1 Das ist meine Stadt.

a Seht die Stadt an. Welche Geschäfte, Häuser und Orte kennst du?

b Lest und hört den Text. Wo wohnt Johann? (2.25)

Das ist meine Stadt. Ich wohne im Zentrum. Das finde ich super. Alles ist ganz nah. Das Kino ist nicht weit und in fünf Minuten bin ich am Sportplatz. Ich kann auch schnell einkaufen. In meiner Straße sind eine Bäckerei, ein Kiosk und ein Supermarkt. Manchmal besuche ich meine Freunde. Die wohnen nicht im Zentrum. Aber das ist kein Problem. Direkt vor meinem Haus ist eine Haltestelle für Busse und Straßenbahnen. Wo wohne ich?

2 Was gibt es wo? Was könnt ihr wo tun? Bildet Sätze.

In der Bäckerei gibt es ... *... Brot und Brötchen.*

In der Bäckerei gibt es ... | Briefmarken. | Auf dem Sportplatz kann man ... | einen Film sehen. | Fahrkarten kaufen. | Bei der Polizei kann man ... | Fußball spielen. | Im Krankenhaus gibt es ... | Am Bahnhof kann ich ... | Im Kino kann ich ... | sehr laut Musik hören. | Bei der Post gibt es ... | Brot und Brötchen. | Freunde treffen. | In der Disco kann man ... | Medikamente kaufen. | In der Apotheke kann man ... | Wurst, Käse, Bananen, Shampoo ... | Im Supermarkt gibt es ... | viele Ärzte. | Am Kiosk gibt es ... | Hilfe holen. | Im Jugendzentrum kann ich ... | Zeitungen.

Hallo Lara. Ich bin im Eiscafé … über der Apotheke. Kommst du?
EiScafé
18:00

Wo ist …?

3 Unterwegs in der Stadt

a Wo ist Lara? Ordnet zu.

auf der Bank
(links) neben der Post
hinter dem Kiosk
zwischen dem Kino und dem Jugendzentrum
vor dem Haus
im Supermarkt
unter einem Baum

b Was macht Lara wann? Ordnet die Bilder, schreibt Sätze und berichtet.

Zuerst steht Lara vor …, dann … .

Lara steht vor dem Haus.

c Dativ: *hinter dem Kiosk, neben der Post …* Sammelt Beispiele und ergänzt.

➲30, 33 G

Nominativ (Singular)	Dativ (Singular)	
der Supermarkt, Kiosk, …	d…	~~in dem~~ = im (Kiosk)
das Haus	d…	in
die …	d…	

4 Wo???

a Arbeitet zu zweit. Was passt? Ordnet zu und lest die Dialoge zu zweit.

a ● Wo bist du heute Nachmittag?
b ● Wo ist dein Fahrrad?
c ● Bist du um vier auf dem Sportplatz?
d ● Kaufst du die Brötchen in der Bäckerei?
e ● Seid ihr am Samstag auch in der Disco?
f ● Wo ist meine Tasche?
g ● Wie geht's Thorsten?
h ● Entschuldigung, wo ist der Bahnhof?

○ Es steht an der Post.
○ Die ist unter dem Tisch.
○ Der Bahnhof ist hinter dem Rathaus.
○ Nein, im Supermarkt.
○ Schlecht. Er ist noch im Krankenhaus.
○ Ich bin im Jugendclub.
○ Um vier? Ja klar. Ich bin da.
○ Nein, wir besuchen unsere Großeltern.

2.26 **b Kontrolliert jetzt mit der CD.**

c Hört noch einmal und sprecht die Dialoge nach. Lest nicht ab!

5 Ein Spiel für vier: *auf, zwischen, neben, unter, über …???*

a Schreibt zu zweit zehn Sätze mit den Präpositionen und den Schulsachen.

Ihr braucht:
einen Radiergummi, ein Heft, ein Buch, einen Bleistift, ein Lineal, zwei Stifte, eine Schere, einen Kuli, zwei Taschen, ein Handy, eine Brille

Pro Paar: 1 Blatt Papier und einen Stift

Der Bleistift liegt zwischen der Schere und dem Kuli.
Die Brille liegt neben …

b Jetzt geht's los. Gruppe A sagt einen Satz. Ein Schüler aus Gruppe B legt den Satz. Achtung: 2 Minuten Zeit!

Mein Schulweg

6 Auf der Straße

a Was passt zusammen? Ordnet zu.

a Das ist eine Kreuzung.
b Wir fahren geradeaus.
c Ich biege links ab.
d Hier darfst du auch nach rechts fahren.
e Die Ampel ist rot. Du darfst nicht fahren.

Stopp!

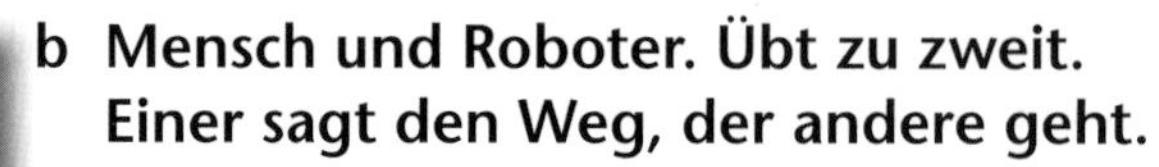

b Mensch und Roboter. Übt zu zweit. Einer sagt den Weg, der andere geht.

Du wartest an der Ampel/Kreuzung.
Warte!!
Du gehst nach links.
Du gehst nach rechts.
Geh weiter!
Du gehst geradeaus.
Vorsicht!!!
...

2.27

c Hört die Schulwege von Hannes (1), Bonny (2) und Clara (3). Welchen Weg gehen/fahren sie?

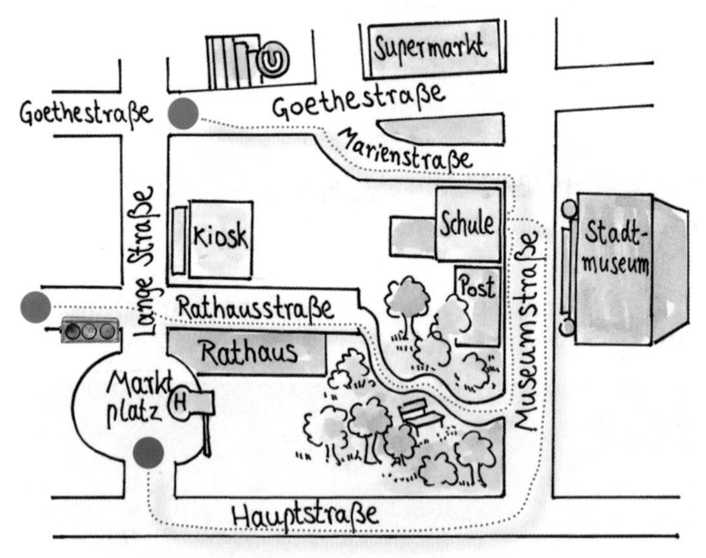

2.28

d Links, rechts, ... Beschreibt Wege zu zweit. Wählt zwei Wege aus. Kontrolliert mit der CD.

A: Marktplatz – Supermarkt
B: Stadtmuseum – U-Bahn
C: U-Bahn – Post

Einen Weg beschreiben

Du bist am Marktplatz / am Stadtmuseum / an der U-Bahn.
Du gehst zuerst nach links/rechts.
Dann (weiter) geradeaus. Dann kommt eine Kreuzung.
An der Kreuzung/Goethestraße gehst du nach ...
Dann biegst du rechts ab. Das ist die ...straße.
Die Post / der Supermarkt ist hinter/an ...

Leicht: erst hören, dann Wege beschreiben
Schwer: erst Wege beschreiben, dann hören

7 **Wörter lernen und behalten. Arbeitet in Gruppen. Erstellt Mindmaps zum Thema „In der Stadt".**

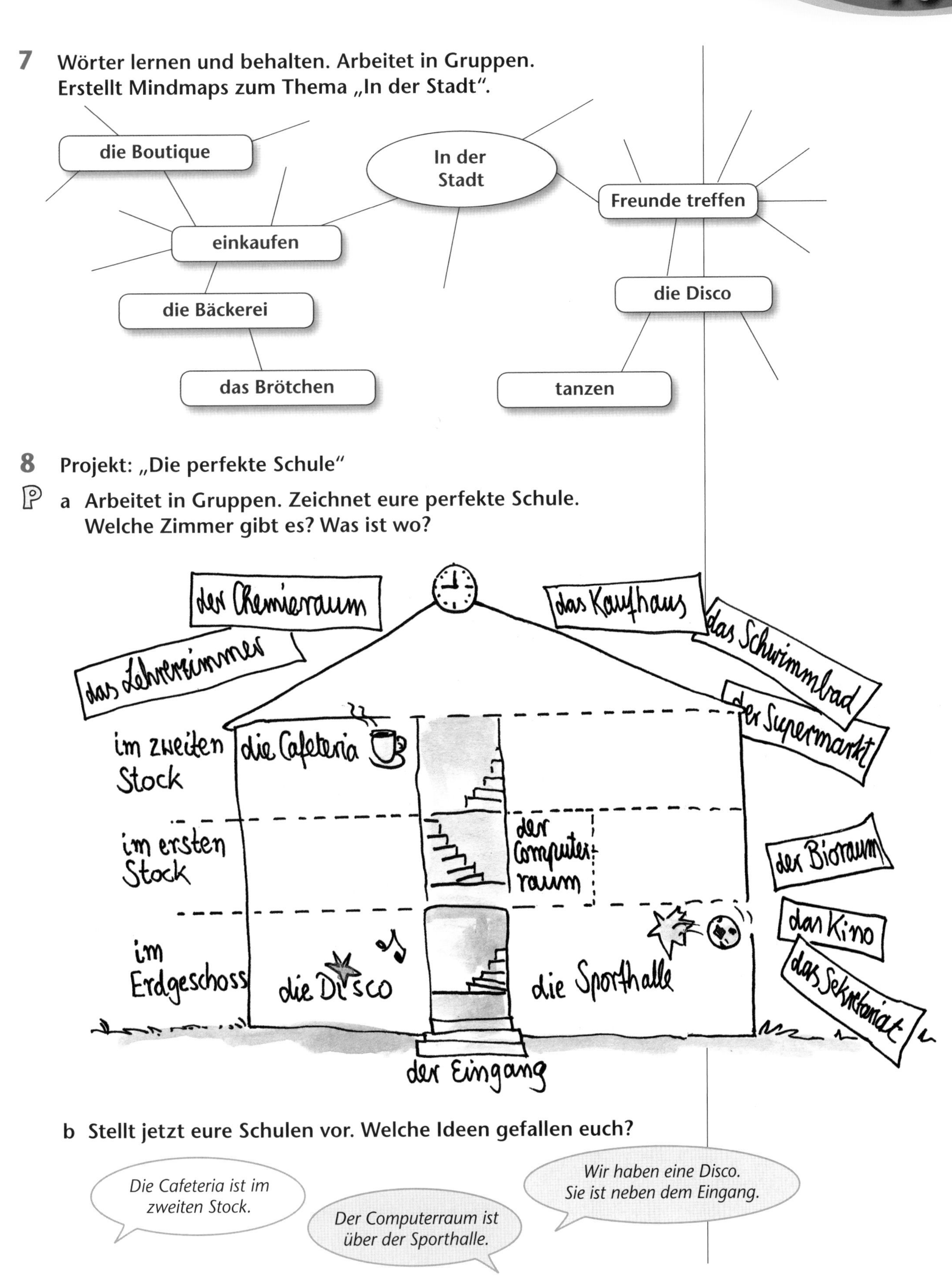

8 **Projekt: „Die perfekte Schule"**

P **a** **Arbeitet in Gruppen. Zeichnet eure perfekte Schule. Welche Zimmer gibt es? Was ist wo?**

b **Stellt jetzt eure Schulen vor. Welche Ideen gefallen euch?**

Welches Problem hat Herr Schmidt?

Was esst ihr am liebsten zum Frühstück?

Die Klassenarbeit fällt aus.

Wie geht die Geschichte weiter? Sammelt Ideen:

Herr Schmidt …

Er findet das Blatt.

Wie kommt ihr in die Schule? Sammelt die Verkehrsmittel an der Tafel.

Überlegt zu zweit: Was hat Olli für Herrn Schmidt?

Eine Geschichte

9 Die Klassenarbeit. Hört und lest die Geschichte. Beantwortet die Fragen.

1

2.29

Es ist Montagmorgen, 6 Uhr 30. Der Wecker klingelt. Herr Schmidt wacht auf. Er macht den Wecker aus und steht auf.
Er geht in die Küche und kocht Tee.
Dann geht er ins Bad. Herr Schmidt duscht: zuerst heiß und dann kalt.
5 Jetzt ist er wach.
Herr Schmidt hat Hunger! Er freut sich auf das Frühstück – aber der Kühlschrank ist fast leer: ein Ei, Quark, Marmelade, Milch, Salat. Kein Käse, keine Wurst! Herr Schmidt liebt Käse und Wurst. Er isst ein Brot mit Quark und Marmelade
10 und trinkt eine Tasse Tee.
„Heute muss ich einkaufen! Das darf ich nicht vergessen."
Er schreibt einen Zettel.

2

2.30

Nach dem Frühstück liest Herr Schmidt seinen Stundenplan:
8.00 Uhr bis 9.30 Uhr Klasse 6b. 9.30 Uhr Klasse 7a – Klassenarbeit …
„Klassenarbeit? Mensch, da muss ich noch die Aufgabenblätter kopieren!"
Herr Schmidt zieht sich an und packt seine Tasche:
5 Mathebuch für die 6b, Aufgabenblatt für die Klassenarbeit …
„Wo ist denn das Blatt? Ich hatte das doch hierhin gelegt!"
Aber auf dem Schreibtisch liegt es nicht. Er sucht im Schreibtisch. Er sucht unter dem Schreibtisch – nichts.
Er sucht auch noch hinter dem Schreibtisch und vor dem Regal. Es ist nicht
10 da. Herr Schmidt ist nervös.
Er läuft in die Küche, sucht auf dem Tisch, unter dem Tisch, neben der Marmelade, links und rechts vom Kühlschrank. Kein Aufgabenblatt!
„Mist! Schon nach sieben! Ich muss los! Mein Bus!"

3

2.31

Herr Schmidt geht zur Bushaltestelle. Gerade kommt die Nummer 54. Er fährt vier Stationen bis zum Marktplatz.
Hier muss Herr Schmidt umsteigen. Am Marktplatz kauft Herr Schmidt Obst für die Pause: einen Apfel und eine Banane.
5 Neben der Post ist die U-Bahn. Er geht zum Gleis 2.
Herr Schmidt wartet. Er überlegt Aufgaben für die Klassenarbeit.

4

2.32

Die U-Bahn kommt. Herr Schmidt steigt ein. Die U-Bahn fährt ab.
Herr Schmidt überlegt und schreibt einen Zettel.
Die U-Bahn hält. Ein Schüler aus der Klasse 7a steigt ein.
„Guten Morgen, Herr Schmidt!"
5 „Äh, ach Olli! Guten Morgen."
„Schöner Tag heute, Herr Schmidt!"
„Was? Ja, ja, schöner Tag."
„Entschuldigung, Herr Schmidt. Ich hab da was für Sie."
„Bitte? Nicht jetzt, Olli. Ich muss noch ein bisschen arbeiten, wir sehen uns
10 ja dann später."

5

(CD 2.33)

„Nächste Haltestelle Schulzentrum Goethestraße!"
Herr Schmidt steigt aus. Am Kiosk kauft er Schokolade.
Dann geht er zur Schule.
In der Schule geht Herr Schmidt sofort in das Sekretariat.
5 Er gibt der Sekretärin den Notizzettel und die Tafel Schokolade:
„Guten Morgen, Frau Kraus! Können Sie mir das bitte 24-mal
kopieren. Ich brauche es um 9 Uhr 30."
„Gerne, Herr Schmidt, mach' ich. Äh, Herr Schmidt, ich hab'
da was für Sie ..."
10 Die Sekretärin gibt Herrn Schmidt ein Blatt. Es ist ziemlich
schmutzig und verknittert.
Herr Schmidt schaut auf das Blatt: die Aufgaben für die Klassenarbeit! „Vielen Dank, Frau Kraus. Das such' ich schon den ganzen
Morgen. Woher haben Sie das?"
15 „Das hat mir eben ein Schüler aus der Klasse 7a gegeben ..."
„Olli? Egal. Hauptsache, ich habe es wieder! Dann kopieren Sie
doch bitte das Aufgabenblatt."
„Ein bisschen schmutzig ist es ja schon ..."
Die Sekretärin schaut auf das Blatt und dann zu Herrn Schmidt.
20 Sie wundert sich.

Klasse 7a – Klassenarbeit Nr. 4 Name: ___________

Aufgabe 1

Nach einem Preisnachlass von 6,30 € muss Otto für sein neues Fahrrad noch 203,– bezahlen.
a) Wie hoch war der ursprüngliche Preis?
b) Wie viel % Rabatt erhält er?

Aufgabe 2

Zeichne aus den gegebenen Größen ein Viereck ABCD.

$\overline{AB}$ = 8 cm $\overline{BC}$ = 4 cm $\overline{CD}$ = 5 cm $\overline{AD}$ = 2,5 cm $\overline{AC}$ = 4,5 cm

Bestimme die Winkelmaße der Figur.

Aufgabe 3

Berechne:
a) 87 1/2 % von 320 kg = P P =
b) 3,5 % von G = 210_ G =
c) 27_ P % 36_ P =

Was macht Herr Schmidt im Sekretariat? Woher kommt das Blatt für die Klassenarbeit? Was ist passiert?

6

(CD 2.34)

„Ruhe bitte!"
Um 9 Uhr 30 verteilt Herr Schmidt die Aufgabenblätter.
„Wir schreiben heute eine Klassenarbeit. Seid ihr gut vorbereitet?"
Alle rufen: „Aber sicher, Herr Schmidt!!!"
5 Alle? Alle, nur Susy nicht. Sie war am Wochenende nicht zu Hause.

Welche Noten bekommen die Schülerinnen und Schüler? Welche Note bekommt Susy?

10 Acht Aussagen zur Geschichte – Was passt zu wem?

a Herr Schmidt

b Der Direktor

c Olli

d Martin (in Mathe der Beste)

e Susy

f Sabine (in Mathe sehr schlecht) und ihr Vater

1 Hallo, Olli, ich bin fertig. Hast du die E-Mail-Adressen von unserer Klasse?
2 Hm, Herr Schmidt, das ist komisch ... fast alle eine 1? Nur eine 5 ...
3 Hey, was ist denn das? Mann, das ist ja interessant! Ich muss sofort Martin anrufen.
4 So ein Mist! Und ich war am Wochenende bei meiner Oma.
5 Donnerwetter! Meine 7a ist in Mathe super!
6 O.k., Martin, 30 Tafeln Schokolade und die neue CD von ‚Jan Delay'!
7 Eine 1 in Mathe! Ich kann es nicht glauben! Das musst du Mama zeigen!
8 Hallo, Martin, ich hab' da ein Aufgabenblatt, Mathe!

10

Das kann ich nach Kapitel 10

Wörter, Sätze, Dialoge	Übt zu zweit
Orte in der Stadt die Post, die Polizei, die Apotheke, das Krankenhaus, der Sportplatz, der Kiosk, der Marktplatz, das Kino, der Supermarkt, der Bahnhof, …	**Nenne sechs Orte in der Stadt.**
Lebensmittel der Apfel, die Banane, das Brot, das Brötchen, die Cola, das Ei, der Käse, der Kaffee, der Kakao, der Saft, die Marmelade, die Milch, die Pizza, der Quark, der Salat, die Schokolade, der Tee, die Wurst ...	**Sammelt zu zweit Nomen.**  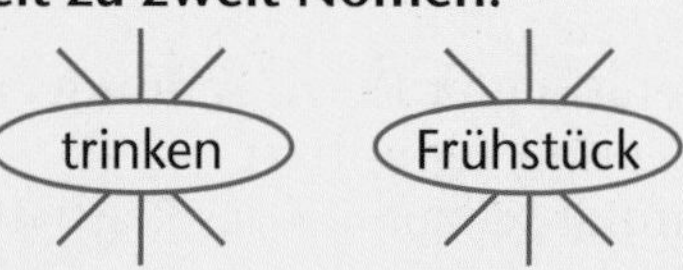
Verkehrsmittel das Fahrrad, der Bus, die Straßenbahn, die U-Bahn Ich gehe zu Fuß. Ich fahre mit dem Fahrrad / mit dem Bus / mit der Straßenbahn ...	**Was ist das?**   
Richtungsangaben links/rechts/geradeaus An der Ampel/Kreuzung …	**Ergänzt die Sätze.** Ich gehe nach ⇨. Ich biege ⇦ ab. Ich fahre immer ⇧. Dann kommt eine [Ampel].

Grammatik	Übt zu zweit
Ortsangaben mit Dativ *(Wo ist …?)* vor, hinter, neben, zwischen, in, auf, an, unter, über neben dem Supermarkt neben dem Kino neben der Disco *in + dem = im, an + dem = am*	**Entschuldigung, wo ist die Post? Antwortet.** neben – der Kiosk hinter – das Restaurant zwischen – der Supermarkt / die Apotheke vor – die Bäckerei *Die Post ist …*
mit + Dativ Ich fahre mit dem Bus / mit dem Auto / mit der Straßenbahn.	**Mein Schulweg.** ● Ich gehe … / Ich fahre mit … Und du? ○ Ich …

Mit Sprache handeln	
Ich kann beschreiben, wo etwas ist. Die Bank ist in der Kirchstraße. Die Post ist in neben der Bank. Der Supermarkt ist an/neben/vor .. Lara steht vor der Post. ● Wo bist du? ○ Ich bin bei Tom / beim Arzt, …	**Ich kann einen Weg beschreiben.** Du gehst zuerst nach links. Dann geradeaus. Dann biegst du rechts ab. Dann kommt eine Kreuzung.

Ich kann ...
• Vorschläge und Gegenvorschläge machen • zustimmen und ablehnen
• geografische Angaben machen • Postkarten schreiben
• Speisen und Getränke bestellen und bezahlen
• Gründe und Konsequenzen nennen

Wir fahren weg!

der Herkules

der Hafen

die Frauenkirche

das Ruhrgebiet

Brezel und Weißwurst

Schokolade

das Riesenrad

der Bodensee

1 Städte in D-A-CH

a Schaut euch in Ruhe die Karte und die Fotos an und orientiert euch: Was ist wo? Was kennt ihr schon?

Foto A, das ist Kassel.

2.35 **b Quiz: Städte und Fotos, was gehört zusammen? Bildet Hypothesen und kontrolliert mit der CD.**

Kassel • Zürich • Dresden • München • Konstanz • Bochum • Hamburg • Wien

2.36 **c Und wo liegen die Städte? Hört die Beispiele und fragt in der Klasse.**

● Wo liegt Hamburg? ○ Das weißt du nicht? Hamburg liegt ...
● Und wo liegt Wien? ○ Keine Ahnung! ● Wien liegt in Österreich, im Osten.

Hamburg liegt ...

im Norden
im Westen | in der Mitte | im Osten
im Süden

... von Deutschland
... von Österreich
... von der Schweiz

Ein Ausflug

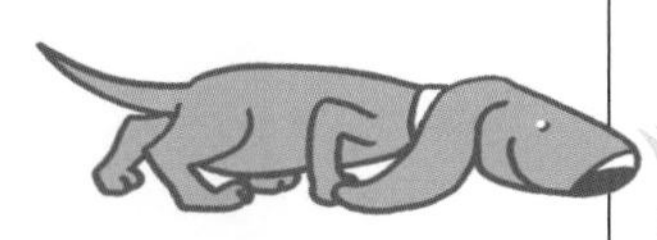

2 Familie Schröder plant einen Ausflug.

2.37

a Schließt das Kursbuch und hört das Gespräch. Was versteht ihr? Sammelt Notizen an der Tafel.

Wohin fährt Familie Schröder?
Wie fahren sie?
Wo wohnen sie?

b Hört das Gespräch noch einmal und lest mit.

	Herr S.:	Also, was machen wir jetzt am Wochenende? Einen Ausflug?
	Alle:	Au ja! Wohin?
5	Herr S.:	Keine Ahnung, vielleicht eine Fahrradtour?
	Timo:	Oh nein, ich fahre jeden Tag mit dem Fahrrad ...
	Monika:	... und mein Fahrrad ist kaputt.
	Frau S.:	Ich möchte am liebsten nach Hamburg. Mmmh, eine gute Fischsuppe!!!
10	Monika:	Fischsuppe? Igitt!!
	Herr S.:	Hamburg? Hm, gute Idee, da gibt es einen Hafen.
	Monika:	Ja, Hafen ist gut, da gibt es viele Schiffe ... Ich möchte auch nach Hamburg
15		fahren!
	Timo:	Und ich will unbedingt das neue Musical sehen!
	Monika:	Aber ich möchte mit dem Auto fahren. Mit dem Zug das finde ich langweilig ...
	Frau S.:	Du hast recht, dann können wir immer anhalten.
20	Herr S.:	Also gut, am Samstagmorgen um 7 Uhr fahren wir los.
	Timo:	Um siiieeben? Papa! Das ist total verrückt! Da schlafe ich noch.
	Monika:	Ich auch.
	Herr S.:	Na gut, dann um 8. Aber dann müssen
25		alle fertig sein.
	Frau S.:	Und wo wohnen wir?
	Herr S.:	Im Hotel?
	Monika:	Können wir nicht in der Jugendherberge übernachten, das ist viel lustiger.
30	Timo:	Da gibt es mehr junge Leute.
	Herr S.:	Gute Idee, Monika, reservierst du für uns?

c Welche Sätze aus dem Gespräch passen zu den Bildern?

d Übt das Gespräch und spielt die Szene vor.

3 Übernachten in der Jugendherberge

2.38

a Monika ruft bei der Jugendherberge in Hamburg an. Lest zuerst die Fragen. Hört dann das Gespräch, macht Notizen zu den Fragen.

1 Wann kommt die Familie an? Wann fährt sie ab?
2 Wo kann man einen Ausweis für die Jugendherberge kaufen?
3 Wie viel kostet das Zimmer für eine Nacht?
4 Muss die Familie für das Frühstück extra bezahlen?
5 Kann man auch ein Mittagessen bekommen?
6 Wo wohnt Monika?

b Vergleicht dann noch einmal mit der CD.

4 Wichtige Informationen über Jugendherbergen

a Lest den Text und macht eine Mindmap.

Bei Reisen in Deutschland, Österreich oder der Schweiz können Jugendliche

zum Beispiel in Jugendherbergen oder Jugendhotels übernachten. Das ist nicht so teuer und man findet sie überall. In Deutschland gibt es ca. 550 Jugendherbergen. Es gibt auch Jugendherbergen in einem Schloss oder einer Burg. In den Jugendherbergen kann man schlafen und essen. Aber es gibt auch oft etwas für die Freizeit: Man kann Sport machen und Musik, manchmal gibt es eine Disco und fast immer eine Cafeteria. Viele Schulklassen und Jugendgruppen übernachten in der Jugendherberge, aber auch Familien können hier übernachten. Informationen findet man im Internet: http://www.jugendherberge.de/ Man kann aber auch direkt anrufen.

b Vergleicht eure Mindmaps.

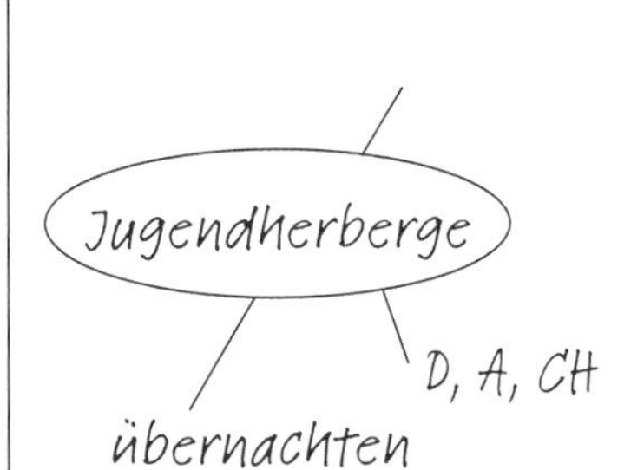

5 Lest die Sätze mit den richtigen Angaben vor. Der Text in 4 hilft.

1 In Deutschland gibt es viele/wenige Jugendherbergen.
2 In Jugendherbergen kann man übernachten / nicht übernachten.
3 Jugendherbergen sind teuer/billig.
4 Man kann dort essen/spielen.
5 Es gibt immer/manchmal eine Disco.
6 Es gibt nie/fast immer eine Cafeteria.
7 Familien können auch übernachten / nicht übernachten.

6 Die Jugendherberge Burg Stahleck im Internet. Sammelt Informationen.

1 Wo liegt die Jugendherberge? Wie heißt der Ort?
2 Gibt es einen See? Einen Fluss?
3 Hat die Jugendherberge Internet?
4 Kann man mit dem Zug zur Jugendherberge kommen oder muss man mit dem Auto fahren?

Familie Schröder geht essen

7 Auf dem Hamburger Fischmarkt. Hört, lest und übt die Dialoge.

2.39

ein Hamburger

eine Portion Pommes

ein Stück Pizza

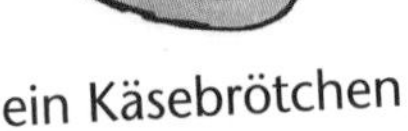
ein Käsebrötchen

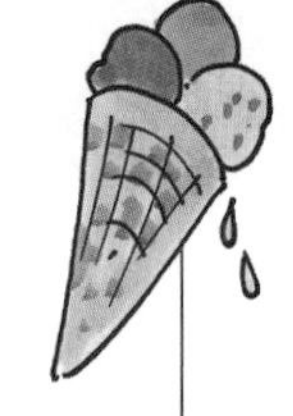
ein Eis

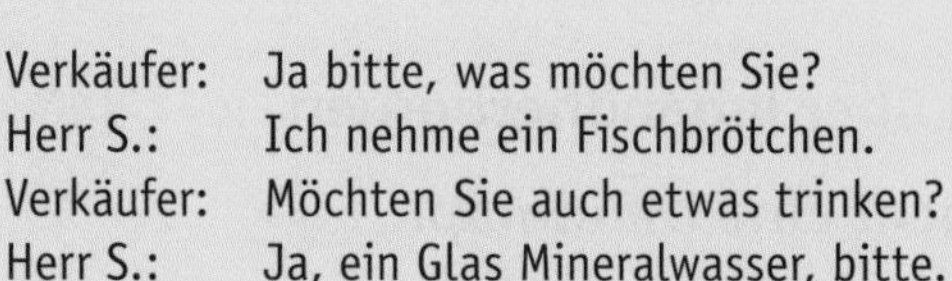
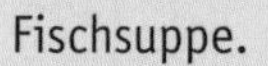

Verkäufer:	Ja bitte, was möchten Sie?
Herr S.:	Ich nehme ein Fischbrötchen.
Verkäufer:	Möchten Sie auch etwas trinken?
Herr S.:	Ja, ein Glas Mineralwasser, bitte.
Frau S.:	... und ich nehme einen Teller Fischsuppe.
Timo:	Ich mag keinen Fisch! Ich möchte nichts essen. Nur eine Flasche Cola, bitte!
Monika:	Also, ich habe Hunger! Ich möchte ein Brötchen mit Käse und ein Glas Apfelsaft bitte! Und danach ein großes Eis!
Herr S.:	Was kostet das, bitte?
Verkäufer:	Alles zusammen? 23 Euro.
Frau S.:	Mmmhh, die Suppe schmeckt wunderbar!

eine Cola

ein Stück Kuchen

ein Salat

eine Currywurst

8 Macht zu zweit andere Dialoge. Esst und trinkt, was ihr wollt!!! Spielt die Szene in der Klasse.

Was möchten Sie, bitte? Was möchtest du, bitte? Was möchtet ihr, bitte?	Ich möchte, ich nehme ... ... ein Käsebrötchen ... ein Stück Kuchen ... ein Glas Mineralwasser ... eine Tasse Kaffee/Tee ... eine Cola ... einen Teller Suppe ... 5 Hamburger ... 10 Portionen Pommes Nichts, ich habe keinen Hunger/Durst. Ich weiß noch nicht ...	Das schmeckt lecker! Das ist echt gut! Mir ist schlecht!

Grüße aus ...

9 Postkarte oder SMS? Lest die Aussage von Katrin. Fragt in der Klasse. Wer schreibt aus dem Urlaub?

Katrin: „Zu Hause schreibe ich SMS und chatte und telefoniere. Aber wenn ich reise, dann schreibe ich immer eine Postkarte. Das ist cool. SMS aus dem Urlaub? Das ist doch langweilig!"

Umfrage in der Klasse
SMS: III
Postkarte: IIII
Nicht schreiben: ~~IIII~~ II

Wir schreiben gar nicht!

10 Familie Schröder schreibt Postkarten. Wer schreibt welche Karte? Was hilft bei der Lösung? Und wo war Petra?

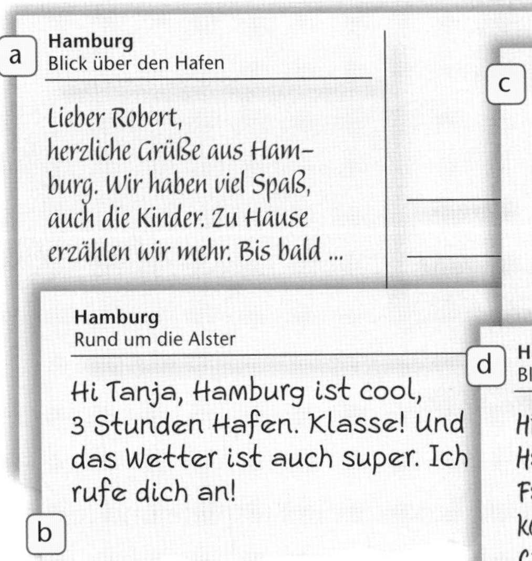

a
Hamburg
Blick über den Hafen

Lieber Robert,
herzliche Grüße aus Hamburg. Wir haben viel Spaß, auch die Kinder. Zu Hause erzählen wir mehr. Bis bald ...

b
Hamburg
Rund um die Alster

Hi Tanja, Hamburg ist cool, 3 Stunden Hafen. Klasse! Und das Wetter ist auch super. Ich rufe dich an!

c
Hamburg
Tierpark Hagenbeck

Hallo Uschi,
wir waren ein Wochenende in Hamburg. Die Fischsuppe, einfach sensationell!
Liebe Grüße, ...

d
Hamburg
Blick vom Rathaus

Hi Max,
Hamburg ist echt genial und die Familie ist auch o.k. Nächstes Mal kommst du mit! Tarzan war Klasse!
Ciao ...

Liebe Sara!
Hier ist es ganz toll! Es gibt viele Boutiquen und ich habe schon 5 (!!!) neue Blusen! Am Samstag bin ich wieder da. Ich rufe dich an!
Deine Petra ☺

An
Sara Hollstein
Querallee 29
D-34119 KASSEL
(Deutschland)

11 Herr Schröder, Frau Schröder, Monika und Timo sind in eurer Stadt und schreiben Postkarten. Was schreiben sie? Wählt eine Person und schreibt die Karte. Lest sie dann vor.

12 Probleme beim Reisen. Was passt zusammen? Was passt zu den Fotos? Lest vor, kontrolliert mit der CD und spielt die Szene.

2.40

1 Meine Füße! Ich kann nicht mehr!
2 Ich habe Durst! Ich sterbe!
3 Schon wieder eine Kirche!!!
4 Schnell! Eine Toilette.

a Da hinten! Neben der Post! Nur 100 Meter!
b Du interessierst dich einfach nicht für Kultur!
c Warte! Gleich kommt ein Kiosk!
d Das sind die Berge!

A
B

C

D

Wohin fahrt ihr in den Ferien?

13 **Lest den Text in den Pfeilen vor. Was fällt auf?**

14 **Warum in die Berge? – *Deshalb.* Ergänzt die Beispiele und lest vor.**

1 Wir wandern gerne, deshalb fahren wir immer in die Berge.
2 Ich möchte die Hauptstadt von Deutschland besuchen, deshalb fahre ich ...
3 Wir schwimmen gerne, deshalb fahren wir immer ...
4 Mein Bruder spielt Flamencogitarre, deshalb will er ...

⊃25 G

Grund	Folge/Konsequenz
Ich höre gern Musik,	deshalb (kaufe) ich jede Woche eine CD.

15 **Gründe und Konsequenzen**

a **Was passt zusammen?**

1 Jutta hat Geburtstag,
2 Meike hat im Flugzeug Angst,
3 Die Ampel ist rot,
4 Marie möchte Brötchen kaufen,
5 Ich möchte Paris sehen,

a deshalb fahre ich nach Frankreich.
b deshalb geht sie zur Bäckerei.
c deshalb bekommt sie Geld von Oma.
d deshalb fährt sie mit dem Zug.
e deshalb dürfen wir nicht fahren.

b **Macht selbst noch weitere Beispiele: Was ist die Konsequenz?**

a Peter hat keinen Wecker, deshalb ( ) ...
b Am Sonntag haben wir keine Schule, deshalb ( ) ...
c Heute regnet es, deshalb ( ) ...
d ...

Vorschläge diskutieren

16 Biggi und Tom

2.41

a Hört, lest und übt den Dialog und achtet auf die Satzmelodie.

Biggi: Ich möchte nach Wien fahren.
Tom: Nach Wien? Das ist doch langweilig. Berlin finde ich viel besser! Ich will lieber nach Berlin fahren!
Biggi: Aber das ist zu weit!
Tom: Quatsch, wir fahren mit dem ICE.
Biggi: O.k. Einverstanden. Berlin finde ich auch gut.

Ich möchte nach Wien fahren.
Ich will lieber nach Berlin fahren!!

b Was bedeutet „Vorschlag, Zustimmung, Ablehnung, neuer Vorschlag"? Was findet ihr im Dialog von Biggi und Tom?

17 Dialoge

2.42

a Lest die Dialoge und schreibt sie ins Heft. Kontrolliert mit der CD und markiert die Betonung.

Dialog 1
- ● Kommst du mit nach Basel in die Disco?
- ○ In die Disco? Keine Lust und keine Zeit. Und ich kann nicht tanzen. Aber heute Abend kommt ein super Film im Fernsehen und meine Schwester ist auch da.
- ● O.k, dann sehen wir uns den Film an.

Dialog 2
- ● Machen wir ein Fahrradrennen?
- ○ Das ist keine gute Idee, mein Fahrrad ist kaputt. Aber ich habe eine Idee: Wir können eine Stunde am See joggen!
- ● O.k! Ich bin einverstanden. Wann laufen wir?

b Spielt die Dialoge zu zweit vor.

18 Schreibt selbst kurze Dialoge mit Vorschlag/Zustimmung/Ablehnung/neuer Vorschlag. Arbeitet zu zweit oder zu dritt.

Vorschlag	Zustimmung	Ablehnung	Neuer Vorschlag
Ich habe eine Idee:	Ja, das finde ich gut.	Das finde ich nicht gut!	Ich möchte lieber ...
Wir fahren .../Ich möchte ...	Ich möchte/will auch ...	Das ist Quatsch!	Wir können ...
... nach Hamburg	Das ist eine gute Idee!	Das ist doch langweilig.	Aber ich habe eine Idee ...
... ins Kino	Super! O.k.	Das ist keine gute Idee!	
... schlafen	Klasse, ich freue mich.	Keine Lust! Keine Zeit!	
	Kein Problem ...	Aber das ist ...	

19 Projekt: Über Reisen (Länder und Städte) sprechen

a Wie ist das bei euch in der Klasse? Wer fährt wohin? Berichtet, sammelt in der Gruppe.

Wir fahren jeden Sommer nach Italien.

Ich bleibe in den Ferien zu Hause.

Ich war schon zweimal in Deutschland.

b Schreibt einen Text für die Schülerzeitung zum Thema „Wohin fahren die Schüler in eurer Klasse?"

11

Ich mag Fisch, deshalb gehe ich immer zum Kühlschrank.

Das kann ich nach Kapitel 11

Wörter, Sätze, Dialoge

Wo liegt das?
im Norden, im Osten, im Süden, im Westen
im Norden/Osten/Süden/Westen von Deutschland,
von Österreich, von der Schweiz

Speisen und Getränke
ein Fischbrötchen, ein Käsebrötchen, eine Currywurst,
ein Teller Fischsuppe, ein Eis, ein Stück Kuchen,
eine Portion Pommes frites, ein Salat, ...
eine Flasche Cola, ein Glas Apfelsaft/Mineralwasser

Verkehrsmittel
das Auto, der Zug, das Schiff, das Flugzeug

Ich fahre mit dem Auto / mit dem Zug.

Wohin fahren wir?
nach Basel, Berlin, Wien ...
nach Italien, in die Schweiz
an den Bodensee
in den Schwarzwald
in die Berge
ans Meer

Übt zu zweit

Wo liegt Wien? Hamburg? München? Genf? ...?
Hamburg liegt im ___ von Deutschland.

Ich möchte:

Ergänzt.
Wir fahren ___ ___ Fahrrad.
Wir fahren ___ ___ Schiff.
Wir fliegen ___ ___ Flugzeug.

Ergänzt: Wir fahren ...
___ ___ Bodensee
___ ___ Berge
___ ___ Schwarzwald
___ Meer
___ Basel, Berlin, Wien ...
___ ___ Türkei

Grammatik

Modalverb: *möchten/wollen*
Ich möchte mit dem Auto fahren.
Ich will mit dem Auto fahren!!!
Ich möchte ein Eis.
Ich will ein Eis!!!!

Konnektoren: *deshalb*
Ich bin fleißig. Ich (habe) gute Noten. →

Ich bin fleißig, deshalb (habe) ich gute Noten.

Übt zu zweit

Was möchtet ihr? Was wollt ihr?
gute Noten haben • in die USA fliegen •
keine Hausaufgaben machen •
viele Geschenke bekommen • ...

Verbindet die Sätze mit *deshalb*.
Marina ist faul. Sie hat schlechte Noten.
Pedro spielt gut Klavier. Er spielt in einer Band.

Mit Sprache handeln

Ich kann Vorschläge machen, zustimmen, ablehnen, neue Vorschläge machen.
- ● Ich möchte nach Wien fahren. Kommst du mit?
- ○ Das ist doch langweilig. Berlin finde ich besser.
- ● Einverstanden. Wir fahren nach Berlin.

- ● Wir machen eine Fahrradtour. Hast du Lust?
- ○ Au ja. Ich komme mit.

Ich kann Speisen und Getränke bestellen und bezahlen.
Ich möchte ein Brötchen und eine Cola, bitte.
Was kostet das?

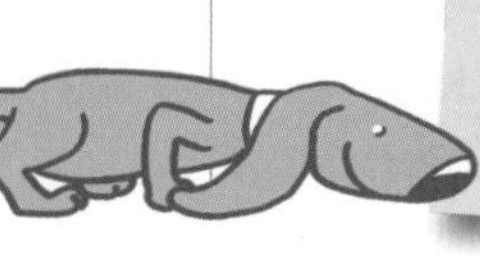

Ich kann sagen, wo etwas liegt.
München liegt im Süden von Deutschland.

Ich kann Gründe nennen und Konsequenzen.
Ich komme aus den USA, deshalb kann ich gut Englisch sprechen.

Schnüffel-Strategie
Ich kann wichtige Informationen in Texten finden und sammeln.

Ich kann ...
- einen Tagesablauf beschreiben
- über Berufe und Berufswünsche sprechen
- sagen, was ich immer/oft/manchmal/nie mache

Mein Vater ist Polizist

Ich treffe meinen Freund.
Wir sehen einen Film.
1 Frank Müller
2 Sophie Baumgärtel
3 Ralf Reuter

1 So viel Arbeit! Welche Berufe kennt ihr? Wie viele Berufe haben die Personen?

Herr Müller ist ...

2 Berufe wiederholen

a Arbeitet in Gruppen. Wer findet zuerst alle Berufe?

Technikerin

1 In der Medien-AG ist Jenny die T___ und Eva ist die Kam___.
2 An unserer Schule gibt es 52 L___.
3 Unsere Se___ heißt Frau Müller.
4 Der D___ ist der Boss an der Schule.
5 In Deutschland gibt es sogar einen Fri___ für Hunde.
6 Mein Papa ist K___. Er macht deutsche Spezialitäten.
7 Ein A___ arbeitet in einem Krankenhaus.
8 Mein Vater ist P___ und fährt Motorrad.

b Fertig? Lest eure Lösungen vor und vergleicht.

3 Hört zu. Welchen Beruf haben die Leute?

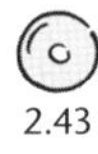
2.43

Was sind sie von Beruf? Was arbeiten sie?

4 Der Arzt, die Ärztin, der ...

a Welche Berufe passen zu den Zeichnungen? Ordnet zu.

Hausmann/-frau • Künstler/-in • Ingenieur/-in • Kaufmann/-frau • Zahnarzt/-ärztin • Sekretär/-in • Schauspieler/-in • Architekt/-in • Bauer/Bäuerin • Computerspezialist/-in • Frisör/-in • Taxifahrer/-in • Model • Anwalt/Anwältin • Politiker/-in • Polizist/-in • Bäcker/-in • Verkäufer/-in

-in	¨ + -in	-frau
Künstlerin	Ärztin	Hausfrau

H... K... Z... S...

B... A... B... V...

b Hört die Berufe und übt die Aussprache.

2.44

5 Ein Rätsel: Wer arbeitet hier? Findet die Lösung mit dem Wörterbuch.

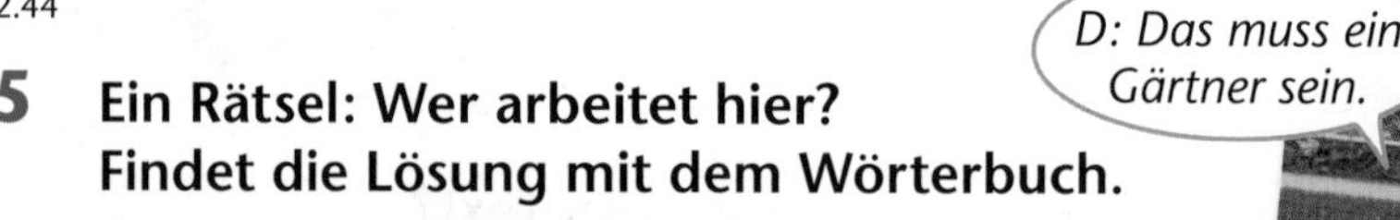

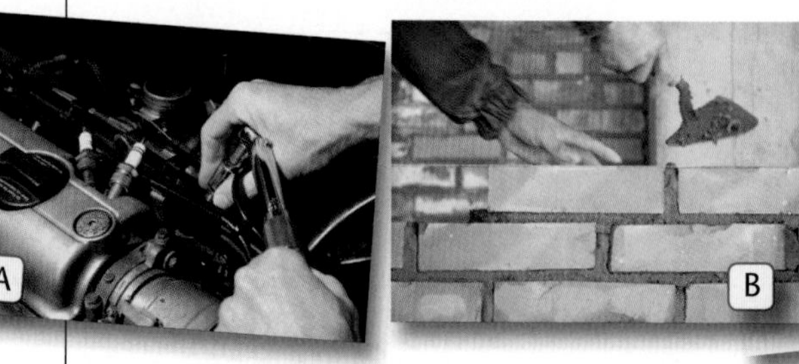

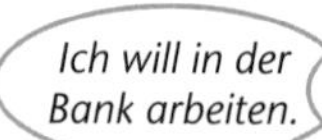

6 Welche Berufe interessieren euch? Sammelt und sprecht in der Klasse.

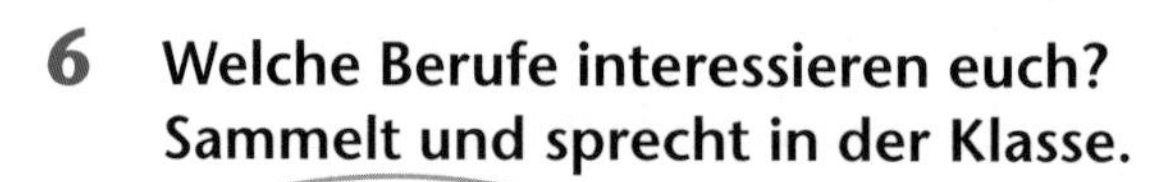

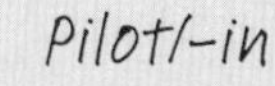

7 Berufe und Aktivitäten. Arbeitet zu zweit. A liest eine Tätigkeit vor, B nennt den Beruf. Dann wechseln.

Sie arbeitet in einem Büro.

Das ist eine Sekretärin.

a transportiert Leute im Auto
b backt Brot und Kuchen
c redet oft im Fernsehen
d arbeitet in einem Büro
e ist schön und bekommt viel Geld
f kauft oder verkauft etwas
g repariert Zähne
h macht Essen im Restaurant
i macht die Haare schön
j hat oft viele Tiere
k repariert Autos
l macht Bilder, Skulpturen oder Filme

Lerntipp – Vokabeln im Kontext lernen
Ein Bäcker backt Brot und Brötchen.
Ein Taxifahrer transportiert Leute im Auto.

8 Projekt: Stellt einen Beruf vor. Macht eine kleine Präsentation.

Mein Bruder ist Koch.
Er arbeitet in einem Restaurant.
Super!

9 Beruferaten. Macht eine typische Bewegung. Die anderen raten.

10 Eva hat viele Jobs.

a Seht die Bilder an. Was macht Eva?

b Lest den Text. Welche Bilder passen zum Text?

Bild 1 passt zu Zeile …

Hallo Leute,
ich bin Eva und ich bin 14 Jahre alt. Ich brauche immer ein bisschen Geld. Deshalb jobbe ich.
Ich habe einen Job als Babysitterin. Wir spielen und manchmal gehen wir in den Park. Die Kleine
ist so süß. Manchmal gehe ich für unsere Nachbarin einkaufen. Sie ist alt und kann die Taschen
5 nicht so gut tragen. Zweimal pro Woche trage ich Zeitungen aus. Das dauert etwa 2 Stunden.
Ich verdiene 15 bis 20 Euro pro Woche. Das reicht.
Zu Hause helfe ich aber auch. Abwaschen, einkaufen, aufräumen. Und wie ist das bei euch?
Schreibt mir mal!
Eure Eva

c Wie ist das bei euch? Schreibt eine Antwort an Eva.

Beruf Schülerin – Ein Tag in Susannas Leben

11 Susanna im Internet-Forum

a Lest den Beitrag von Susanna.

Fernsehen? Fußball? Hamburger?
Aufräumen? Tanzen? Salat?
immer
nie

Mein Beruf ist Schülerin und mein Tag ist ganz normal: Ich stehe immer um 6 Uhr 30 auf (natürlich nicht am Wochenende!), dann dusche ich, frühstücke und gehe in die Schule.

Wenn ich wieder zu Hause bin, esse ich schnell etwas und mache dann sofort die Hausaufgaben. Ich brauche oft zwei oder drei Stunden! Aber ich sage immer: erst die Arbeit, dann der Spaß.

Danach gehe ich manchmal zum Kiosk und treffe meine Freundinnen Moni und Claudia. Oft quatschen wir nur, aber wir haben immer viel Spaß. Es ist nie langweilig. Um sechs Uhr (pünktlich!) gibt es immer Abendessen. Wir essen alle zusammen. Manchmal sehen wir danach fern. Um neun bin ich immer total müde und gehe ins Bett. Manchmal lese ich dann noch ein paar Seiten. In der Woche gehe ich nie aus. Aber am Wochenende gehe ich manchmal auf eine Party oder zu Freunden. Ich muss aber oft schon um zehn zu Hause sein. Mein Vater holt mich immer mit dem Auto ab. So ist meine Woche. Was meint ihr?

b Wie heißen die Aussagen richtig? Lest vor.

immer → oft → manchmal → nie

Sie steht immer um 6 Uhr 30 auf …

1. Sie steht nie um 6 Uhr 30 auf.
2. Sie geht am Nachmittag immer zum Kiosk.
3. Manchmal quatscht sie dort mit Moni und Claudia.
4. Sie haben nie viel Spaß.
5. Die Familie sieht immer zusammen fern.
6. Susanna geht nie um 9 Uhr ins Bett.
7. Oft liest sie dann noch ein bisschen.
8. In der Woche geht sie fast immer weg.
9. Am Wochenende geht sie immer auf eine Party.
10. Ihr Vater holt sie nie mit dem Auto ab.

12 Wie ist Susannas Tagesablauf? Langweilig? Normal? Interessant? Toll? Lest die Antworten aus dem Forum. Was sagt ihr?

Funky: Boooaaa, wie langweilig! Existieren für dich auch Hobbys???

R2D2: Hast du mal ein Foto von Moni und Claudia für mich??? Ich möchte sie kennenlernen.

Streber500: Ich finde das o.k. Meine Woche ist auch so! Wir sind Schüler und für uns sind gute Noten wichtig! Du hast bestimmt auch gute Noten???!!!

Sunny: Um 9 Uhr im Bett??? Das gibt es doch gar nicht. Ich geh' immer erst um 12. Und dein Vater holt dich von der Party ab??? Oh, wie peinlich!

Was für ein Tag!

13 Freitag der 13.

a Seht die Bilder an. Was passiert? Ordnet die Aussagen zu.

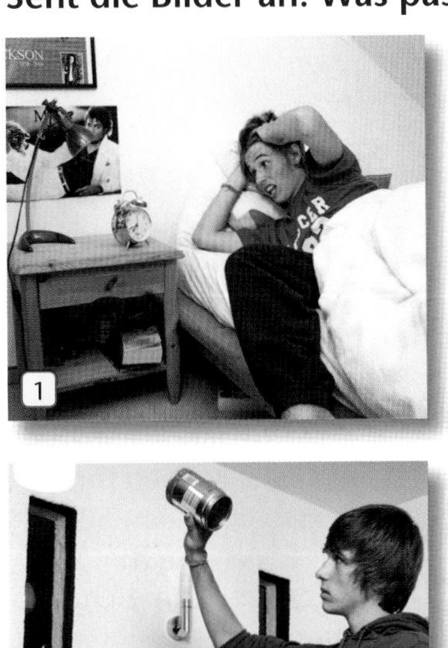

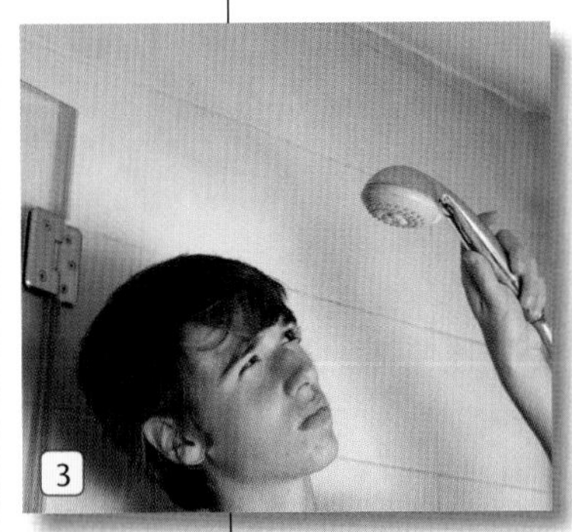

a Ab in die Küche. Kaffee machen. Kaffee??? … Kein Kaffee da.
b Schnell zum Bus. Das schaffe ich. … Halt! Komm zurück!!! Bitte!!
c Ich stehe schnell auf. AUA!
d Ich wache auf. 20 vor 8! Katastrophe! Der Wecker ist kaputt.
e Mama anrufen. Nein … Akku leer.
f O.k., dann mit dem Fahrrad. Fahrradschlüssel? Äh … im Haus.
g Schnell ins Bad. Mist! Die Dusche ist kaputt.
h Toast. Warum ist der Toast so weiß und grün? Igitt!
i Was für ein Tag. Was mache ich jetzt bloß? Ah, ich …

2.45 **b Tom erzählt seine Geschichte. Hört zu.**

c Spielt die Geschichte. Achtet auf Intonation, Mimik, Gestik, …

d Dein Katastrophentag? Schreib vier Sätze und spiel den Tag vor.

Pronomen im Akkusativ

14 Ergänzt die Personalpronomen im Akkusativ. Die Texte in Aufgabe 12 helfen.

➲34 G

Nominativ	ich	du	er	sie	es	wir	ihr	sie	Sie
Akkusativ	m___	d___	ihn	sie	es	u___	euch	s___	Sie

15 Pronomen üben

a Minidialoge. Was passt zusammen?

1 Besucht ihr **uns** mal wieder?
2 Verstehst du **mich**?
3 Kennst du Roger Federer?
4 Wo sind Sie? Ich suche **Sie** schon eine Stunde!

a Oh, das tut mir leid, Herr Direktor. Ich war im Sekreteriat!
b Klar, alle kennen **ihn**.
c Ja klar, Oma, am Sonntag. Wir lieben **euch**!
d Nein, ich höre **dich** nicht. Sprich lauter!

Verben mit Akkusativ
treffen
verstehen
haben
suchen
kennen

2.46
b Lest die Minidialoge von a vor und vergleicht mit der CD.

16 Sätze bauen. Wer hat den längsten Satz? Hört die CD.

2.47
a Ich rufe dich an. Ich rufe dich morgen an. Ich rufe dich morgen Abend an. Ich rufe dich morgen Abend um 20 Uhr an. …
b Holst du mich ab?
c Treffen wir uns …?

17 Hört zu und spielt den Dialog.

2.48

Liebst du mich?

● Liebst du mich?
○ Ja, ich liebe dich sehr, Antonio!
● Liebst du auch Martin?
○ Nein, ich liebe ihn nicht, ich liebe nur dich! Mein Antonio! Und du? Liebst du Sabine?
● Nein, nein, ich liebe nur dich, Esmeralda! Also: Wir lieben uns?
○ Ja, wir lieben uns sehr.
● Hm, und was ist mit Dieter? Liebst du Dieter?
○ Nein, Martin, mein Schatz, ich liebe nur dich …
● Martin??? Aber ich heiße ANTONIO. Du liebst mich nicht …

Personen beschreiben

18 **Arbeitet zu zweit. Gebt den Personen einen Namen, einen Beruf, ...**

Foto 1
- Künstler?, Gärtner? ...
- tanzen?, schreiben?, ...
- fliegen? ...
- Pizza? nach Polen fahren?
- ...

Fragebogen

Gib der Person einen Namen.

Welchen Beruf hat er/sie?

Was kann die Person gut?

Was kann er/sie nicht gut?

Was mag die Person?

Was mag die Person nicht?

Hausaufgabe:
Schreibt einen Tagesablauf für die Person.

Name:
Laura Kraft
Beruf:
Schauspielerin
Sie kann gut:
einkaufen gehen
Sie kann nicht gut:
kochen, aufräumen
Sie mag:
Partys, Bodybuilding
Sie mag nicht:
früh aufstehen

12

Mein Traumberuf ist Köchin!

Das kann ich nach Kapitel 12

Wörter, Sätze, Dialoge	Übt zu zweit
Berufe Hausmann/-frau, Künstler/-in, Ingenieur/-in, Bäcker/-in, Kaufmann/-frau, Zahnarzt/-ärztin, Sekretär/-in, Schauspieler/-in, Architekt/-in, Bauer/Bäuerin, Computerspezialist/-in, Frisör/-in, Taxifahrer/-in, Model, Anwalt/Anwältin, Politiker/-in, Polizist/-in	**Ergänzt die Berufe.** Taxi ___ Schau ___ Fri ___ Poli ___ Archi ___
Wie oft ...? immer, oft, manchmal, nie Ich stehe immer um 7 Uhr auf. Ich lese oft im Bett. Ich spiele manchmal Klavier. Ich gehe nie ins Museum.	**Fragt und antwortet. Was machst du immer, oft, ...?**
Traumberufe ... finde ich interessant. Ich will ... werden. Mein Traumberuf ist ...	**Nennt zwei Traumberufe.** ___ finde ich ___. Ich will ___ werden.

Grammatik	Übt zu zweit
Personalpronomen im Akkusativ mich, dich, ihn, sie, es, uns, euch, sie, Sie	**Ergänzt.** ● Ich liebe ___! ○ Wen? ● Peter! ● Liebst du m___? ○ Nein, wieso? ● Ich liebe e___ alle! ○ Das ist unser neuer Direktor!!!

Mit Sprache handeln

Ich kann über Berufe sprechen.
Mein Vater ist Bäcker. Er backt Brot und Kuchen.
Mein Onkel ist Koch. Er arbeitet im Restaurant, in der Küche.
Mein Bruder ist Zahnarzt. Er repariert Zähne.

Ich kann Tagesabläufe beschreiben.
Am Montag stehe ich immer um 7 Uhr auf.
Dann gehe ich in die Schule.
Um 13 Uhr 30 ist der Unterricht vorbei.
Mittags esse ich manchmal in der Cafeteria.

Lerntipp: Vokabeln im Kontext lernen
Ein Bäcker backt Brot und Brötchen.
Ein Koch macht Essen im Restaurant.
Ein Arzt arbeitet im ...

Plateau

Karussell

Wie findest du meinen neuen Pullover?
Ich habe Kopfschmerzen.
Dein Kopf tut weh, was sagst du?
Den alten finde ich besser!
Wo ist die Post?
Ja, ein Glas Apfelsaft, bitte!
Er ist
Ich will ins Kino gehen!
Mai/Februar/März/Januar/April
Ich suche Brötchen!
Mein Geburtstag ist ....
Möchtest du etwas trinken?
Dann darfst du nicht fahren!
Ich kann nicht kommen, ich bin krank!!!
Geh zuerst geradeaus, dann ...
Wie komme ich zum Bahnhof?
Herbst/Frühling/Winter/Sommer
Ich suche Bello.
Man sagt: Ich möchte ins Kino gehen!
Schnell! Die Jahreszeiten.
Was kommt zuerst, was danach?
Es liegt
Wo warst du gestern?
Die ist 100 Meter hinter dem Bahnhof.
Wir wollen euch am Wochenende besuchen!
Aber er findet keine Wurst und keinen Käse.
Zürich liegt im Süden von Österreich.
Nein, ich kann leider nicht kommen. Ich muss Babysitten!
Herr Schmidt macht den Kühlschrank auf.
Ich war krank! Ich hatte Fieber!
Wann hast du Geburtstag? (Monat)
Das stimmt nicht. Es liegt im Norden der Schweiz.
Die Ampel ist rot.
Wo liegt das Buch?
Dann geh doch in eine Bäckerei!
Schnell! Die ersten 5 Monate im Jahr in der richtigen Reihenfolge.
Das ist schlecht, da haben wir keine Zeit.
Kommst du zur Party?
Gute Besserung!

1 Zuerst Blau und dann Rot. Was passt? Fragt und antwortet zu zweit.

Training/Mit Notizen lernen

2 Denkdiktat

2.49 **a Arbeitet in Kleingruppen. Lest die Stichwörter. Hört dann die CD. Welche Wörter hört ihr noch? Notiert sie im Heft.**

Ein Geburtstag
Am / Wochenende / Geburtstag
Darf / Freunde / einladen
Am Nachmittag / gehen / Kino
Am Abend / essen / Spaghetti
Dann / spielen / Computer
Ich / spät / Bett

Notiz A
habe, ich
alle, wir, ins

Notiz B
ich, meine,
alle, in die

b Vergleicht eure Notizen. Denkt nach: Welche Notizen sind richtig? Rekonstruiert dann den Text und schreibt ihn ins Heft. Vergleicht mit dem „Original" auf der CD.

„Am Wochenende ist mein Geburtstag" – oder?

Ich weiß nicht. Vielleicht „ich habe Geburtstag", also: Am Wochenende habe ich Geburtstag.

„habe ich Geburtstag" ist richtig: Schreib: „Am …"

3 Noch ein Denkdiktat: Wechselt jetzt eure Arbeitsgruppe und arbeitet mit dem Text wie bei Aufgabe 2.

2.50

Eine Postkarte
Lieber Timo
hier / langweilig
keine Leute / nichts los
Füße weh / kalt
drei Tage / zu Hause
nicht mehr / Berge

4 Ein anderes Denkdiktat: Wechselt noch einmal die Gruppe und arbeitet mit dem Text wie bei Aufgabe 2.

2.51

Mo

Mein Tag
stehe / sieben / auf
halb acht / Bus /Schule
Lieblingsfach / Mathe / Bio
Nachmittag / Hausaufgaben
Abends / fern / chatte
neun / gehe / Bett

07.00	16.00
08.00	17.00
09.00	18.00
10.00	19.00
11.00	20.00
12.00	21.00
13.00	22.00
14.00	23.00
15.00	24.00

Sprechen/Aussprache

5 Den Text kennt ihr schon, aber nicht so.

a Arbeitet zu zweit. Zuerst liest A die Spalte links (1–7) und B ergänzt immer den nächsten Satz. Dann liest B und A ergänzt.

Mein Beruf ist Schülerin und mein Tag ist ganz normal:

Ich stehe immer um 6 Uhr 30 auf (natürlich nicht am Wochenende!), dann dusche ich, frühstücke, und gehe in die Schule.

A

1. Mein Beruf ist Schülerin und mein Tag ist ganz normal:
2. Wenn ich wieder zu Hause bin, esse ich schnell etwas und mache dann sofort die Hausaufgaben.
3. Danach gehe ich manchmal zum Kiosk und treffe meine Freundinnen Moni und Claudia.
4. Um sechs Uhr (pünktlich!) gibt es immer Abendessen.
5. Um neun bin ich immer total müde und gehe ins Bett.
6. In der Woche gehe ich nie aus.
7. Ich muss aber oft schon um zehn Uhr zu Hause sein.

B

a. Oft quatschen wir nur, aber wir haben immer viel Spaß. Es ist nie langweilig.
b. Aber am Wochenende gehe ich manchmal auf eine Party oder zu Freunden.
c. Manchmal lese ich dann noch ein paar Seiten.
d. Ich stehe immer um 6 Uhr 30 auf (natürlich nicht am Wochenende!), dann dusche ich, frühstücke, und gehe in die Schule.
e. Mein Vater holt mich immer mit dem Auto ab.
f. Ich brauche oft zwei oder drei Stunden! Aber ich sage immer: erst die Arbeit, dann der Spaß.
g. Wir essen alle zusammen. Manchmal sehen wir danach fern.

2.52 **b Einen Text schnell lesen – Hört die CD.**
Wer kann zu zweit den ganzen Text in 2 Minuten (oder noch schneller!!!) richtig vorlesen???

6 Wie heißen die Sätze richtig? Sucht in Kapitel 1–12 das „Original" und vergleicht. Korrigiert die Sätze.

1. In der Medien-AG gibt es einen Friseur für Hunde.
2. An unserer Schule ist Jenny die Technikerin und Eva ist die Kamerafrau.
3. Unsere Sekretärin ist der Boss an der Schule.
4. Der Direktor fährt Motorrad.
5. In Deutschland gibt es sogar 52 Lehrer.
6. Mein Papa ist Koch und arbeitet in einem Krankenhaus.
7. Ein Arzt macht deutsche Spezialitäten.
8. Mein Vater ist Polizist und heißt Frau Müller.

Sprechen/Aussprache

7 Im Restaurant

a Verteilt die Rollen. Übt die Texte. Spielt die Szenen. Seht dabei zuerst in die Texte, dann sprecht frei. Achtet auf Mimik, Gestik und die Betonung.

Im Restaurant

Kellner: Guten Tag, was darf ich bringen?
Gast 1: Ich hätte gern ein Glas Apfelsaft und eine Pizza Diavola. Und du?
Gast 2: Auch ein Glas Apfelsaft. Und ein Käsebrötchen, bitte.
Kellner: Sehr gerne. Zweimal Apfelsaft, eine Pizza Diavola und ein Käsebrötchen. Kommt sofort!

Der Rest ist für Sie!

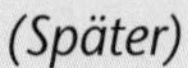

(Später)

Gast 1: Ich möchte gerne bezahlen.
Kellner: Einen Moment, ich komme. Zusammen?
Gast 1: Ja, bitte.
Kellner: Das macht dann 18 Euro 20.
Gast 1: Hier bitte, der Rest ist für Sie.
Kellner: Oh, danke schön!

Im Café

Kellner: Guten Tag, was darf es sein?
Gast 1: Für mich ein Stück Apfelkuchen und einen Kakao.
Gast 2: Und für mich einen Obstsalat und eine Tasse Tee.
Kellner: Sehr gerne. Möchten Sie den Obstsalat mit Eis?
Gast 2: Ja bitte, das ist eine sehr gute Idee.

(Später)

Gast 1: Zahlen bitte.
Kellner: Sofort. Zusammen?
Gast 2: Nein, getrennt bitte.
Kellner: Dann sind das 5 Euro 20 für den Apfelkuchen und den Kakao. Und ... 8 Euro für den Obstsalat und den Tee.

Bei „Big Big Burger"

Gast: Einen Hamburger bitte.
Kellner: Big Burger, Hamburger, Cheeseburger, Tomatenburger, ... ??
Gast: Einfach einen Hamburger.
Kellner: Mit Salat, mit Ketchup, mit Käse?
Gast: Einfach einen Hamburger ohne Käse.
Kellner: Mit Pommes, mit Cola, mit Orangensaft?
Gast: Ich hätte nur gerne einen Hamburger!!!
Kellner: O.k. Hier essen oder mitnehmen?
Gast: GRRRRRR!!!!
Kellner: O.k., o.k. ... Das macht dann 2 Euro 50.

2.53

b Vergleicht mit der CD.

8 Rallye durch geni@l klick Band 1

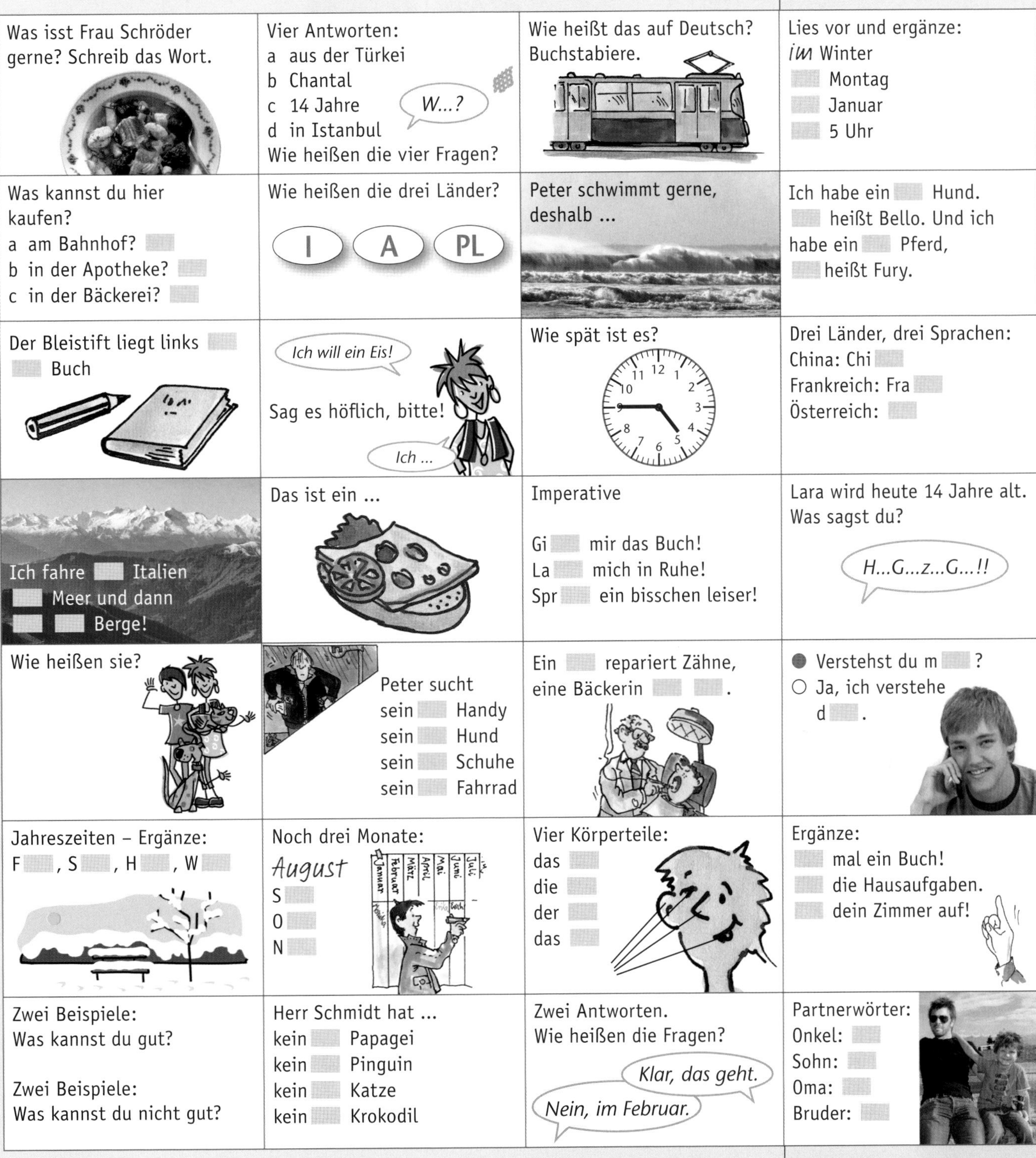

Was isst Frau Schröder gerne? Schreib das Wort.	Vier Antworten: a aus der Türkei b Chantal c 14 Jahre d in Istanbul Wie heißen die vier Fragen? *W...?*	Wie heißt das auf Deutsch? Buchstabiere.	Lies vor und ergänze: *im* Winter ___ Montag ___ Januar ___ 5 Uhr
Was kannst du hier kaufen? a am Bahnhof? ___ b in der Apotheke? ___ c in der Bäckerei? ___	Wie heißen die drei Länder? I A PL	Peter schwimmt gerne, deshalb ...	Ich habe ein ___ Hund. ___ heißt Bello. Und ich habe ein ___ Pferd, ___ heißt Fury.
Der Bleistift liegt links ___ ___ Buch	*Ich will ein Eis!* Sag es höflich, bitte! *Ich ...*	Wie spät ist es?	Drei Länder, drei Sprachen: China: Chi___ Frankreich: Fra___ Österreich: ___
Ich fahre ___ Italien ___ Meer und dann ___ ___ Berge!	Das ist ein ...	Imperative Gi___ mir das Buch! La___ mich in Ruhe! Spr___ ein bisschen leiser!	Lara wird heute 14 Jahre alt. Was sagst du? *H...G...z...G...!!*
Wie heißen sie?	Peter sucht sein___ Handy sein___ Hund sein___ Schuhe sein___ Fahrrad	Ein ___ repariert Zähne, eine Bäckerin ___ ___.	● Verstehst du m___? ○ Ja, ich verstehe d___.
Jahreszeiten – Ergänze: F___, S___, H___, W___	Noch drei Monate: *August* S___ O___ N___	Vier Körperteile: das ___ die ___ der ___ das ___	Ergänze: ___ mal ein Buch! ___ die Hausaufgaben. ___ dein Zimmer auf!
Zwei Beispiele: Was kannst du gut? Zwei Beispiele: Was kannst du nicht gut?	Herr Schmidt hat ... kein___ Papagei kein___ Pinguin kein___ Katze kein___ Krokodil	Zwei Antworten. Wie heißen die Fragen? *Klar, das geht.* *Nein, im Februar.*	Partnerwörter: Onkel: ___ Sohn: ___ Oma: ___ Bruder: ___

Spielregel: – zwei Spieler; jeder braucht ca. 15 Münzen
– Aufgabe richtig, dann 1 Münze auf das Feld
– Du brauchst 3 Felder in einer Reihe:
Wer zuerst eine Reihe hat, bekommt einen Punkt. Dann beginnt ein neues Spiel.

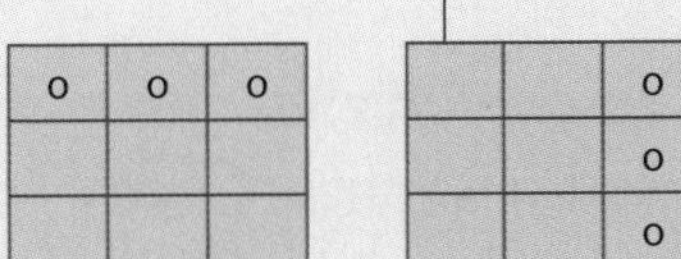

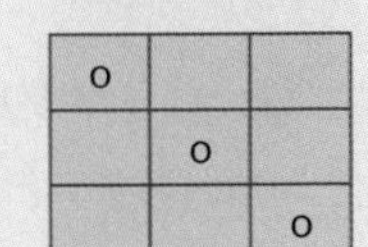

Video (Teil 3)

9 Die Geburtstagsparty

a Zwei Fotos passen nicht zur Party. Welche?

b Was passt zu den Fotos? Was könnt ihr noch dazu sagen?

1. Der Kuchen schmeckt furchtbar!
2. Komm, mach die Tür auf.
3. Was gibt es zu essen?
4. Herzlichen Glückwunsch!
5. Eva kann nicht kommen.
6. Wo wart ihr denn?
7. Wow! Karten für die Mischka Singers!
8. Alles ok? – Ja, wir können.
9. Hier, ein Geschenk für dich!

Lernen lernen

10 Nachdenken über das Lernen. Was macht ihr: immer, oft, manchmal, nie?

1. Ich arbeite mit Lernkärtchen und lerne Wortschatz.
2. Ich mache meine Hausaufgaben.
3. Probleme? Dann frage ich meine Lehrerin oder andere Schüler.
4. Ich spreche, höre und lese Deutsch nicht nur im Unterricht.
5. Ich spreche mit Touristen.
6. Ich sehe deutsches Fernsehen, ich höre deutsche Lieder, ...
7. Mein Schreibtisch zu Hause ist ordentlich und aufgeräumt.

11 Diskutiert zu zweit die Fragen und vergleicht in der Klasse.

1. Welches Kapitel in geni@l klick 1 ist sehr interessant?
2. Was ist das Lieblingsprojekt?
3. Welche Übung ist besonders schwer?
4. Was ist eure Lieblingszeichnung / euer Lieblingsfoto?
5. Was im Video findet ihr besonders gut/interessant?

Grammatik im Überblick

Das findest du hier:

So findest du mehr Informationen:
➲ 11 = Kommt in Kapitel 11 vor.
➲ G 12 = Bei Punkt 12 findest du auch Informationen zum Thema.

Kapitel 1–4

Sätze

1 W-Fragen und Antworten

➲ 1, 2, 4

Position 1	Position 2			Position 1	Position 2	
Wer	ist	das?	–	Das	ist	Rudi.
Was	ist	das?	–	Das	ist	ein BMW.
Wo	wohnst	du?	–	Ich	wohne	in München.
Woher	kommst	du?	–	Ich	komme	aus Polen.
Wie	heißt	du?	–	Ich	heiße	Marco.
Wann	hast	du Mathe?	–	Ich	habe	am Montag Mathe.
Wie alt	ist	Mario?	–	Er	ist	14.
Wie spät	ist	es?	–	Es	ist	acht Uhr.
Welche Sprachen	sprichst	du?	–	Ich	spreche	Englisch und Deutsch.
Wie viele Lehrer	habt	ihr?	–	Wir	haben	56 Lehrer.

2 Ja-/Nein-Fragen und Antworten

➲ 1, 3

Magst	du	Fußball?	Ja, sehr. Nein, ich mag Schwimmen.
Ist	das	Berlin?	Ja. Nein, das ist Wien.

3 Adjektive im Satz (nach dem Verb)

➲ 1, 2, 4

Er	ist	**nett.**
Mein Hund Freddy	ist	**lieb.**
Tiger	sind	**cool.**
Die Insel	ist	**klein.**
Ist	die Schulzeitung	**gut?**

Wörter

4 Nomen und bestimmte Artikel: *der, das, die*

➲ 3, 4

	der	das	die

Singular:	**der** Ball	**das** Heft	**die** Tasche
Plural:	die Bälle	die Hefte	die Taschen

5 Nomen und unbestimmte Artikel: *ein, eine*

➲ 3

bestimmte Artikel:	der Ball	das Heft	die Tasche	die Taschen

unbestimmte Artikel:	**ein** Ball	**ein** Heft	**eine** Tasche	(–) Taschen
	der / das → ein		die → eine	die → (–)

6 Nomen: Verneinung mit *kein, keine*

➲ 3

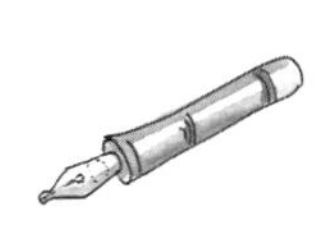

der Füller

Das ist **kein** Bleistift,
das ist ein Füller.

das Buch

Das ist **kein** Heft,
das ist ein Buch.

die Schere

Das ist **keine** Tasche,
das ist eine Schere.

7 Nomen: Komposita

➲ 3

der Ball

das Heft

die Tasche

der Fußball

das Schulheft

die Schultasche

G Kapitel 1–4

8 Nomen: Pluralformen

➲ 4
➲ G 5

	Singular	Plural
–	das Mädchen	die Mädchen
-s	das Auto	die Autos
-e	das Heft	die Hefte
-n	die Katze	die Katzen
-en -nen	die Zahl die Schülerin	die Zahlen die Schülerinnen
(ä/ö/ü)-e	der Stuhl	die Stühle
(ä/ö/ü)-er	das Fach	die Fächer

9 Verbstamm und Verb-Endungen

➲ 2, 4

Infinitiv: wohnen

Verbstamm: wohn-

Verb-Endungen:

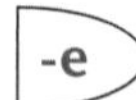

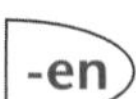

	regelmäßig Die Endung ändert sich.	**unregelmäßig** Der Verbstamm und die Endung ändern sich.			
Infinitiv	schwimmen / lernen / wohnen …	sein	mögen	können	geben
er/es/sie	schwimmt / lernt / wohnt …	ist	mag	kann	gibt

10 Verben und Personalpronomen

➲ 2, 4

Infinitiv	**lernen**	**heißen**	**haben**	**sein**	**mögen**	**können**
Singular						
ich	lerne	heiße	habe	bin	mag	kann
du	lernst	heißt	hast	bist	magst	kannst
er/es/sie	lernt	heißt	hat	ist	mag	kann
Plural						
wir	lernen	heißen	haben	sind	mögen	können
ihr	lernt	heißt	habt	seid	mögt	könnt
sie/Sie*	lernen	heißen	haben	sind	mögen	können

* Sie = formelle Anrede: Wie heißen Sie?

Sätze

11 Fragesätze

➲ 6
➲ G 1

Position 1	Position 2	
Wann	beginnt	der Film?
Um **wie viel** Uhr	beginnt	der Film?

12 Sätze mit Zeitangaben

➲ 7

Position 1	Position 2		
Um 9 Uhr	habe	ich	Englisch.
Am Nachmittag	treffe	ich	meine Freunde.
Am Wochenende	gehe	ich	ins Kino.
Heute	spielen	wir	Fußball.
Ich	habe	**um 9 Uhr**	Englisch
Ich	treffe	**am Nachmittag**	meine Freunde.
Ich	gehe	**am Wochenende**	ins Kino.
Wir	spielen	**heute**	Fußball.

13 Imperativsätze

➲ 8

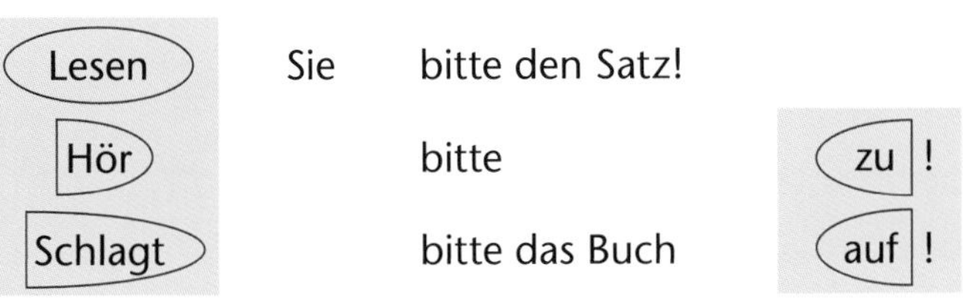

Lesen Sie bitte den Satz!
Hör bitte zu !
Schlagt bitte das Buch auf !

14 Das Verb *können* im Satz

➲ 5

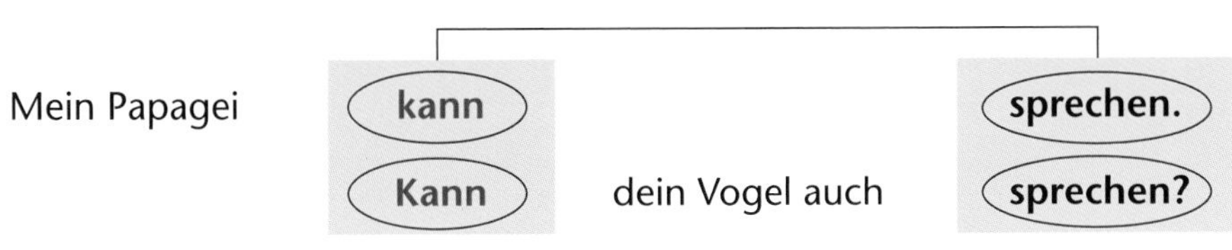

Mein Papagei kann sprechen.
Kann dein Vogel auch sprechen?

15 Sätze mit trennbaren Verben (Satzklammer)

➲ 6

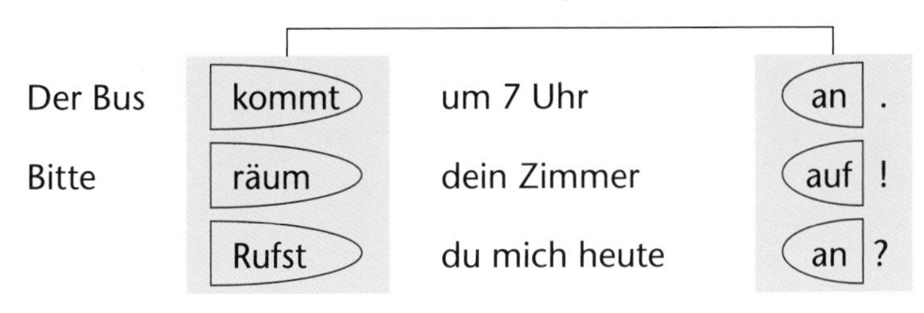

Rufst du mich heute an ?

G

Kapitel 5–8

Wörter

16 Nomen und Artikel: Nominativ und Akkusativ

➲ 5, 6, 7
➲ G 4–6

Nominativ	Akkusativ	Nominativ	Akkusativ
Wo ist …	Ich suche …	Das ist …	Ich habe …
der Hund?	**den** Hund.	ein Hund.	ein**en** Hund.
		mein	mein**en**
		kein	kein**en**
das Pferd?	das Pferd.	ein Pferd.	ein Pferd.
		mein	mein
		kein	kein
die Katze?	die Katze.	ein**e** Katze.	ein**e** Katze.
		mein**e**	mein**e**
		kein**e**	kein**e**

17 Possessivartikel: Nominativ und Akkusativ

➲ 5, 8

	Nominativ (Singular)		Akkusativ (Singular)		
	Das ist …		Ich suche/mag …		
ich	mein	mein**e**	mein**en**	mein	mein**e**
du	dein	dein**e**	dein**en**	dein	dein**e**
er/es	sein	sein**e**	sein**en**	sein	sein**e**
sie	ihr	ihr**e**	ihr**en**	ihr	ihr**e**
wir	unser	unser**e**	unser**en**	unser	unser**e**
ihr	euer	eur**e***	eur**en***	euer	eur**e***
sie/Sie	ihr/Ihr	ihr**e**/Ihr**e**	ihr**en**/Ihr**en**	ihr/Ihr	ihr**e**/Ihr**e**
	… Hund/Pferd.	… Katze.	… Hund.	… Pferd.	… Katze.

*Bei eure/euren fällt das **e** weg.

18 Präpositionen: *in* + bestimmter Artikel (Akkusativ)

➲ 6

	Wir gehen heute …	
der Park	… **in den** Park.	
das Konzert	… **ins** Konzert.	in + das → ins
die Disco	… **in die** Disco.	

*Gehst du **in die** Disco?*
Ich weiß noch nicht.
*Kommst du mit **ins** Kino?*
*Ich gehe **in den** Park. Du auch?*

19 Verbstamm und Verb-Endungen

➲ 7
➲ G 9, 10

	regelmäßig Die Endung ändert sich.	**unregelmäßig** Der Verbstamm und die Endung ändern sich.		
Infinitiv	schwimm**en**	lesen	fahren	laufen
du er/es/sie	schwimm**st** schwimm**t**	l**ie**st l**ie**st	f**ä**hrst f**ä**hrt	l**ä**ufst l**ä**uft

20 Trennbare Verben

➲ 6
➲ G 15

ab|holen	Ich	hole	dich zu Hause	**ab**.
auf|stehen	Ich	stehe	um 7 Uhr	**auf**.
mit|kommen	Ich	komme	morgen	**mit**.

auf|hören
an|machen
mit|gehen
vor|lesen
zu|hören

21 Verben: Imperativformen

➲ 8
➲ G 13

Präsens	Imperativform	Imperativsatz	
du schreibst du liest	~~du~~ **schreib~~st~~** ~~du~~ **lies~~t~~**	Schreib bitte den Satz. Lies bitte den Satz.	*du*-Form
ihr schreibt ihr lest	~~ihr~~ **schreibt** ~~ihr~~ **lest**	Schreibt bitte den Satz. Lest bitte den Satz.	*ihr*-Form
Sie sprechen **Sie** lesen	**sprechen Sie** **lesen Sie**	Sprechen Sie bitte lauter. Lesen Sie bitte langsamer.	*Sie*-Form

⚠ Imperativsätze mit „bitte" sind höflicher.

22 Verben mit Akkusativ

➲ 5
➲ G 16

Unser Lehrer fährt (+Akk) **ein**en BMW.
Er findet (+Akk) **sein**en BMW super.
Er hat (+Akk) aber auch **ein** Fahrrad.

23 Verben verneinen mit *nicht*

➲ 6
➲ G 6

Ich	gehe	heute	**nicht**	ins Kino.
Ich	kann		**nicht**	mitkommen.
Gehst	du		**nicht**	mit?

Kommst du heute Abend mit ins Kino?

*Tut mir leid, ich kann heute **nicht**. Wir schreiben morgen einen Test.*

24 Adjektive: Komparativ von *gern* und *gut*

➲ 7

Ich spiele **gern** Fußball.
Aber Basketball spiele ich **lieber**.

Meinen Lehrer finde ich **gut**.
Aber meinen Trainer finde ich **besser** als meinen Lehrer.

G Kapitel 9–12

Sätze

25 Sätze mit *deshalb* – Konsequenzen

➲ 11

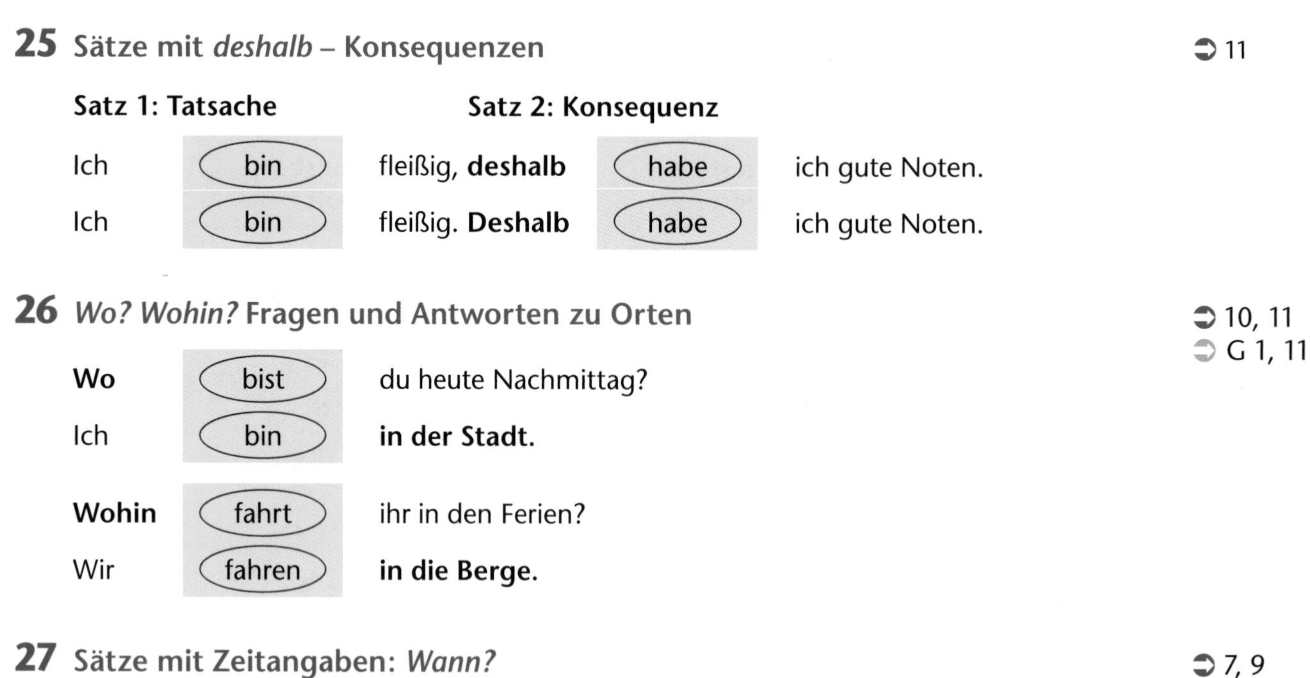

Satz 1: Tatsache			Satz 2: Konsequenz	
Ich	bin	fleißig, **deshalb**	habe	ich gute Noten.
Ich	bin	fleißig. **Deshalb**	habe	ich gute Noten.

26 *Wo? Wohin?* Fragen und Antworten zu Orten

➲ 10, 11
➲ G 1, 11

Wo	bist	du heute Nachmittag?
Ich	bin	**in der Stadt.**
Wohin	fahrt	ihr in den Ferien?
Wir	fahren	**in die Berge.**

27 Sätze mit Zeitangaben: *Wann?*

➲ 7, 9
➲ G 12

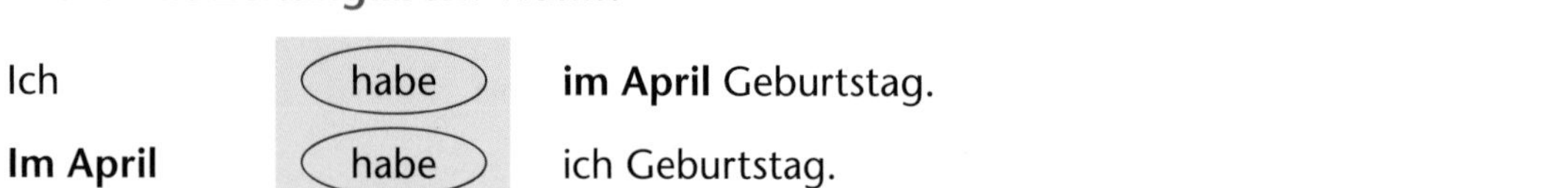

Ich	habe	**im April** Geburtstag.
Im April	habe	ich Geburtstag.

28 Sätze mit Frequenzangaben: *Wie oft?*

➲ 12

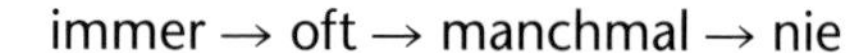

immer → oft → manchmal → nie

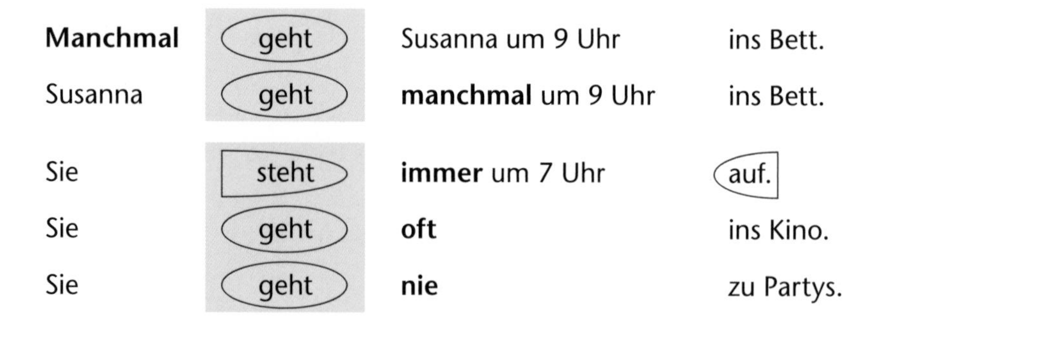

Manchmal	geht	Susanna um 9 Uhr	ins Bett.
Susanna	geht	**manchmal** um 9 Uhr	ins Bett.
Sie	steht	**immer** um 7 Uhr	auf.
Sie	geht	**oft**	ins Kino.
Sie	geht	**nie**	zu Partys.

29 Sätze mit Modalverben (Satzklammer)

➲ 9, 12
➲ G 14, 15

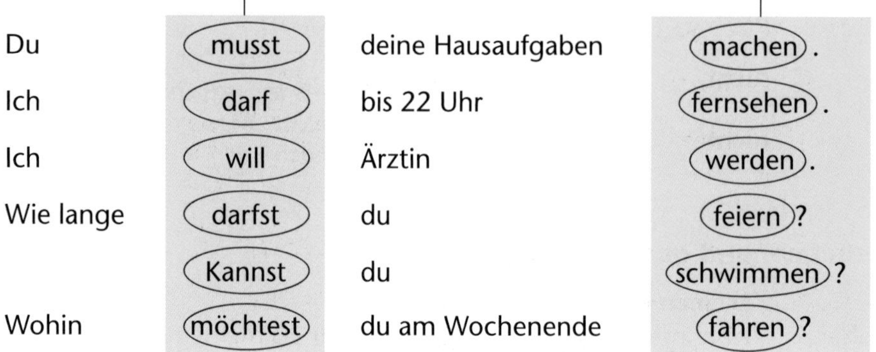

Du	musst	deine Hausaufgaben	machen.
Ich	darf	bis 22 Uhr	fernsehen.
Ich	will	Ärztin	werden.
Wie lange	darfst	du	feiern?
	Kannst	du	schwimmen?
Wohin	möchtest	du am Wochenende	fahren?

Wörter

30 Präpositionen: *mit* + bestimmter/unbestimmter Artikel im Dativ

➲ 10, 12
➲ G 4, 5, 6, 16

	Nominativ	Dativ	Nominativ	Dativ
	Da kommt …	Ich fahre mit …	Da kommt …	Ich fahre mit …
	der Bus	**dem** Bus.	ein Bus.	ein**em** Bus.
	das Taxi.	**dem** Taxi.	ein Taxi.	ein**em** Taxi.
	die Bahn.	**der** Bahn.	eine Bahn.	ein**er** Bahn.

31 Präpositionen: *Wann?* Antworten mit *am, im, um*

➲ 4, 9
➲ G 12

Ich komme	am	Nachmittag.		**Tageszeit**
Rudi hat	am	Sonntag	Geburtstag.	**Tag**
Lara hat	im	Februar	Geburtstag.	**Monat**
Lara hat	im	Winter	Geburtstag.	**Jahreszeit**
Ich komme	um	15 Uhr.		**Uhrzeit**

32 Präpositionen: *Wohin?* Antworten mit *an, in, nach*

➲ 6, 11
➲ G 16, 18

Wir fahren/gehen …

Orte/Regionen

der Schwarzwald	– **in den**	Schwarzwald.	
das Museum	– **ins**	Museum.	in + das → ins
die Jugendherberge	– **in die**	Jugendherberge.	
(Pl.) die Berge	– **in die**	Berge.	

Grenze/Ufer

der Bodensee	– **an den**	Bodensee.	
das Meer	– **ans**	Meer.	an + das → ans
die Küste	– **an die**	Küste.	

Länder/Städte

die Schweiz	– **in die**	Schweiz / Türkei.	**Land mit Artikel**
Spanien	– **nach**	Spanien / Italien.	**Land ohne Artikel**
Wien	– **nach**	Wien / Berlin.	**Stadt**

Kapitel 9–12

33 Präpositionen *auf, an, in, hinter, neben, vor, über, unter, zwischen*: Wo + Dativ

➲ 10
➲ G 18, 30, 31

Wo schläft Rudi?

vor dem Bett

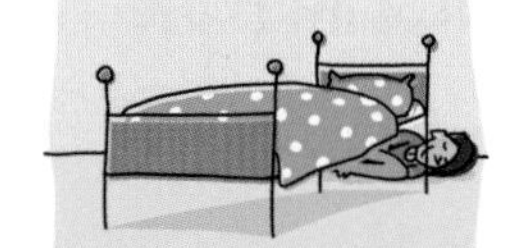
hinter dem Bett

neben dem Bett

zwischen dem Stuhl und dem Bett

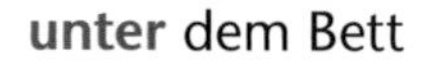
unter dem Bett

über dem Bett

auf dem Bett

im Bett

an der Wand

34 Personalpronomen im Akkusativ

Wo ist Bello?

*Keine Ahnung, ich sehe **ihn** nicht.*

➲ 12
➲ G 22

Nominativ	ich	du	er	es	sie	wir	ihr	sie/Sie
Akkusativ	mich	dich	ihn	es	sie	uns	euch	sie/Sie

35 Modalverben: *mögen (möchten), dürfen, müssen, können, wollen*

➲ 9, 11, 12
➲ G 9, 14, 29

Infinitiv	**mögen (1)**	**dürfen**	**müssen**	**können**	**wollen**	**mögen (2)**
ich	**mag**	**darf**	**muss**	**kann**	**will**	**möchte**
du	**magst**	**darfst**	**musst**	**kannst**	**willst**	**möchtest**
er/es/sie	**mag**	**darf**	**muss**	**kann**	**will**	**möchte**
wir	mögen	dürfen	müssen	können	wollen	**möchten**
ihr	mögt	dürft	müsst	könnt	wollt	**möchtet**
sie/Sie	mögen	dürfen	müssen	können	wollen	**möchten**

Ich **mag** Knochen.

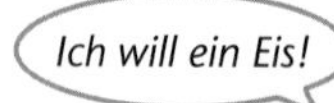
Ich will ein Eis!

Na, na, na …

Entschuldigung …
Ich **möchte** ein Eis, bitte.
Sehr gut! Komm
ich kaufe ein Ei

36 Präteritum: *haben* und *sein*

➲ 9

Infinitiv	**haben**	**sein**
ich	**hatte**	**war**
du	**hattest**	**warst**
er/es/sie	**hatte**	**war**
wir	**hatten**	**waren**
ihr	**hattet**	**wart**
sie/Sie	**hatten**	**waren**

*Wo **warst** du gestern?*

*Wir **hatten** frei.
Ich **war** zu Hause.*

Alphabetical Word Index

In this list you will find the words appearing in chapters 1 to 12 from the **geni@l klick Textbook Level 1.**
The words in blue are particularly important: **Abend**, der, -e, evening. These need to be memorized well.
You will need these for the tests.

Here is the information you will find in the list:

Verbs:
for regular verbs: the infinitive → **arbeiten**, to work
for irregular verbs in the present tense: 3rd person singular present tense → **fahren**, er fährt, to drive
for separable prefix verbs: 3rd person singular present tense → **aufräumen**, er räumt auf, to clean up

Nouns:
the word, article and plural → **Adresse**, die, -n, address

Adjectives:
the word, the irregular comparative and superlative → **gut**, **besser**, am besten, good, better, best

In the case of several meanings of the words: the word and a sample sentence →
machen (1) *(Er macht eine Liste.)* (He makes a list.)
machen (2) *(Deutsch macht Spaß.)* (German is fun.)
machen (3) *(Ich mache Musik.)* (I make music.)
machen (4) *(Das macht 10 Euro.)* (It comes to 10 euro.)

Stress:
The stress in a syllable is marked with . and _ .
The dot under the vowel means it is a short vowel → **antworten**
The line under the vowel means it is a long vowel → Alphabet

The Lists on pages 150/151:
You will find the numbers, months, seasons, countries etc. listed separately on pages 150/151. Additionally, you will find a list with irregular verbs there as well.

And this is what it looks like:

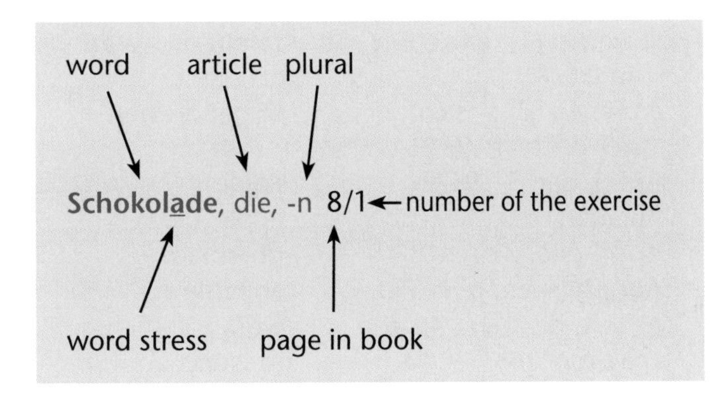

Abbreviations and symbols:

"	Umlaut in the plural
Sg.	only singular (nouns)
Pl.	only plural (nouns)
(+ *A.*)	preposition with accusative
(+ *D.*)	preposition with dative
(+ *A./D.*)	preposition with accusative or dative
Abk.	Abbreviation *(Abkürzung)*

ab (1) *(Wir treffen uns ab 12 Uhr.)* 13/11	from *(We are meeting from 12 o'clock on.)*
ab (2) *(Ab in die Küche.)* 111/13	off to *(Off to the kitchen.)*
abbiegen, er biegt ab 94/6	to turn (to)
Abend, der, -e 55/6	evening
Abendessen, das, – 15/2	dinner
aber 17/6	but
abfahren, er fährt ab 96/9	to leave
abholen, er holt ab 55/6	to pick up
ablehnen, er lehnt ab 106	say no, decline
Ablehnung, die, -en 105/16	negative answer, rejection
ablesen, er liest ab 93/4	to read (from the text)
absagen, er sagt ab 60	to cancel
abschreiben, er schreibt ab 58/12	to copy
abwechselnd 54/3	alternately
ach 96/9	oh
achten (+ auf + *A.*) 18/7	to pay attention to
Achtung, die *Sg.* 93/5	attention
Action, die *Sg.* 12/9	action
Adresse, die, -n 34/10	address
AG, die, -s (= Arbeitsgemeinschaft, die, -en) 33/5	study groups
ah 71/3	ah
äh 11/5	uh
aha 11/8	aha, I see
Ahnung, die, -en 8/1	idea
Akku, der, -s 111/13	battery
Akkusativ, der, -e 49/13	accusative
Aktivität, die, -en 59/15	activity
all- (1) *(Sie filmen alles.)* 15/1	all *(They film everything.)*
all- (2) *(Alle Schüler lernen Englisch.)* 33/5	all *(All students are learning English.)*
allein, alleine 46/6	alone
Alles Gute! 83	All the best!
alles klar 70/2	everything okay
Alphabet, das, -e 11/7	alphabet
als (1) *(Meine Schule hat mehr als 50 Klassen.)* 33/5	than *(My school has more than 50 classes.)*
als (2) *(Sie hat einen Job als Babysitterin.)* 109/10	as *(She has a job as babysitter.)*
also 100/2	well
alt, älter, am ältesten *(Wie alt bist du?)* 17/6	old, older, oldest *(How old are you?)*
Alter, das *Sg.* 21/15	age
am (= an + dem) (+ *D.*) *(Er arbeitet am Computer.)* 16/3	at, on *(He works at the computer.)*
am besten 35/12	best
Ampel, die, -n 94/6	street light
an (+ *A./D.*) 17/6	at
ander- *(Einer sagt den Weg, der andere geht.)* 94/6	other *(One gives the directions, the other follows them.)*
ändern (+ sich) 64/8	to change
anders *(Was ist gleich? Was ist anders?)* 19	different *(What is the same? What is different?)*
Anfang, der, ″-e 57/8	start, beginning
anfangen, er fängt an 34/10	to start
Anfänger, der, – 71/3	beginner
Angabe, die, -n 101/5	information
Angst, die, ″-e 75/10	fear
anhalten, er hält an 100/2	to stop
ankommen, er kommt an 57/8	to arrive
anmachen, er macht an 57/8	to turn on
Anrede, die, -n 34/10	form of address
anrufen, er ruft an 56/7	to call
ans (= an das) (+ *A.*) 104/13	to the
anschauen, er schaut an 99/1	to look at
ansehen, er sieht an 24/2	to look at
Antwort, die, -en 19/11	answer
antworten 16/4	to answer
Anwalt, der, ″-e 108/4	lawyer, attorney
Anwältin, die, -nen 108/4	female lawyer
Anweisung, die, -en 69	directions, instructions
anziehen (1), er zieht an 56/7	to put on, wear
anziehen (2) (+ sich), er zieht sich an 96/9	to get dressed
Apfel, der, ″– 96/9	apple
Apfelsaft, der, ″-e 102/7	apple juice
Apotheke, die, -n 87/8	pharmacy
Appetit, der *Sg.* 83/1	appetite
Arbeit, die, -en 46/4	work
arbeiten 16/3	to work

Arbeitsgemeinschaft, die, -en (*Abk.* AG, die, -s) 33/5	study group
Architekt, der, -en 108/4	architect
Architektin, die, -nen 108/4	female architect
Ärger, der *Sg.* 74	aggravation
Arm, der, -e 86/6	arm
Artikel, der, – 26	article
Arzt, der, "– 87/8	doctor
Ärztin, die, -nen 108/4	female doctor
au ja! 100/2	oh yeah!
Aua! 86/6	ouch!
auch 10/4	too
auf (1) *(Wie heißt das auf Deutsch?)* 18/8	in, on *(What is this in German?)*
auf (2) (+ *A./D.*) *(Sie wohnt auf einer Insel.)* 31/1	on *(She lives on an island.)*
Auf Wiedersehen! 10/4	Good-bye!
aufbleiben, er bleibt auf 88/12	to stay up
auffallen, er fällt auf 49/13	to stand out, to notice
Aufgabe, die, -n 46/5	task
Aufgabenblatt, das, "-er 96/9	work sheet
aufhören, er hört auf 57/8	to stop
aufmachen, er macht auf 74/7	to open up
aufräumen, er räumt auf 74/8	to clean up
aufschlagen, er schlägt auf 74/9	to open up
aufschreiben, er schreibt auf 35/12	to write down, record
aufstehen, er steht auf 57/8	to get up
aufwachen, er wacht auf 96/9	to wake up
Auge, das, -n 45/1	eye
aus (+ *D.*) 8/1	from
Ausdruck, der, "-e 21/16	expression
ausfallen, er fällt aus 96/9	to be canceled
Ausflug, der, "-e 84/2	outing
ausgeben, er gibt aus 51/18	to spend
ausgehen, er geht aus 110/11	to go out
ausmachen, er macht aus 74/8	to turn off
Ausrede, die, -n 88/13	excuse
Aussage, die, -n 32/4	statement
aussehen, er sieht aus 50/16	to look like
Äußerung, die, -en 74/8	utterance
Aussprache, die, -n 19/9	pronunciation
aussteigen, er steigt aus 56/7	to get off
aussuchen, er sucht aus 67/14	to pick out
austragen, er trägt aus 109/10	to deliver
Ausweis, der, -e 101/3	ID
Auto, das, -s 36/14	car
babysitten 85/4	to babysit
Babysitterin, die, -nen 109/10	female babysitter
backen, er bäckt/backt 109/7	to bake
Bäcker, der, – 108/4	baker
Bäckerei, die, -en 91/1	bakery
Bäckerin, die, -nen 108/4	female baker
Bad, das, "-er 72/4	bath
baden 88/13	to bathe
Bahnhof, der, "-e 55/5	train station
bald 10/4	soon
Ball, der, "-e 26/5	ball
Ballett, das, -e 65/10	ballet
Banane, die, -n 19/9	banana
Band, die, -s 8/1	band
Bank, die (1), -en *(Geldinstitut)* 56/7	bank
Bank, die (2), "-e *(Sitzbank)* 56/7	bench
Bankkauffrau, die, -en 108/4	female banker
Basketball *Sg. ohne Artikel (das Spiel)* 28/14	basketball
Bauch, der, "-e 48/12	stomach
bauen 62/3	to build
Bauer, der, -n 108/4	farmer
Bäuerin, die, -nen 108/4	female farmer
Baum, der, "-e 92/3	tree
beantworten 33/5	to answer
bearbeiten 16/3	to edit
bedeuten 105/16	to mean
beeilen (+ sich) 74/8	to hurry
Beginn, der *Sg.* 34/10	begin, start
beginnen 32/4	to begin
begrüßen 14	to greet
behalten, er behält 95/7	to keep
bei (+ *D.*) 17/6	at, with

beide 56/7	both
beim (= bei dem) (+ *D.*) 13/11	at
Bein, das, -e 48/12	leg
Beispiel, das, -e 17/5	example
Beitrag, der, ″-e 110/11	contribution
bekannt 13/11	well known
Bekannte, der/die, -n 84/2	acquaintance
bekommen 31/1	to get
benutzen 53/2	to use
Berg, der, -e 103/12	mountain
berichten 89/14	to report
Berlin *Sg. ohne Artikel* 8/1	Berlin
Bern *Sg. ohne Artikel* 17/6	Bern
Beruf, der, -e 107/1	job position
Beruferaten, das *Sg.* 109/9	guessing occupations
beschreiben 52	to describe
Beschreibung, die, -en 48/12	description
besser 63/6	better
Besserung, die *Sg.* *(Gute Besserung.)* 83/1	recovery *(Get well.)*
best- 31/1	best
Beste, der/das/die, -n 97/10	the best
bestellen 106	to order
bestimmt (1) *(Du hast bestimmt auch gute Noten.)* 110/12	certainly *(You certainly have good grades, too.)*
bestimmt- (2) *(der bestimmte Artikel)* 26/5	definite *(the definite article)*
Besuch, der, -e 74/7	visit
besuchen 91/1	to visit
Betonung, die, -en 18/7	stress
Bett, das, -en 88/11	bed
Bewegung, die, -en 109/9	movement
bezahlen 67/13	to pay
Bibliothek, die, -en 63/5	library
Bild, das, -er 24/2	picture
bilden 46/6	to make up, form
billig 101/5	cheap
Bio *Sg. ohne Artikel (Abk. für das Schulfach Biologie)* 33/7	biology
Biologie *Sg. ohne Artikel (das Schulfach)* 32/4	biology
Bioraum, der, ″-e 95/8	biology room
bis (+ *D.*) 9/2	to
Bis bald! 10/4	See you soon!
bisschen 16/3	a little
bitte 21/15	please
Bitte, die, -n 74/9	request
Blatt, das, ″-er 93/5	leave
blau 46/5	blue
bleiben 75/11	to stay
Bleistift, der, -e 24/2	pencil
blöd 58/13	stupid
Blog, der, -s 33/5	blog
bloß 111/13	merely
Blume, die, -n 73/5	flower
Bluse, die, -n 66/11	blouse
Bodensee, der *Sg.* 104/13	Lake Constance
Boss, der, -e 107/2	boss
brauchen 93/5	to need
braun 46/4	brown
Brief, der, -e 64/7	letter
Brieffreund, der, -e 65/10	pen pal
Briefmarke, die, -n 91/2	stamp
Brille, die, -n 24/2	glasses
Brot, das, -e 91/2	bread
Brötchen, das, – 91/2	roll
Bruder, der, ″– 45/3	brother
Buch, das, ″-er 36/14	book
buchstabieren 11/8	to spell
bunt 46/5	colorful
Burg, die, -en 101/4	castle, fortress
Büro, das, -s 109/7	office
Bus, der, -se 56/7	bus
Bushaltestelle, die, -n 96/9	bus stop
Café, das, -s 13/11	café
Cafeteria, die, -s 33/5	cafeteria
CD, die, -s 12/9	CD
Cent, der, -(s) 66/11	cent
chatten 103/9	to chat
Chemie, *Sg. ohne Artikel (das Schulfach)* 38	chemistry
Chemieraum, der, ″-e 95/8	chemistry room
Chips, die *Pl.* 12/9	chips
Chor, der, ″-e 33/5	choir
Cola, die, -s 12/9	coca cola
Comic, der, -s 53/1	comics
Computer, der, – 12/9	computer
Computerraum, der, ″-e 65/10	computer room
Computerspezialist, der, -en 108/4	computer specialist
Computerspezialistin, die, -nen 108/4	female computer specialist

Computerspiel, das, -e 54/3	computer game
cool 10/4	cool
Cousin, der, -s 70/2	cousin
Cousine, die, -n 70/2	female cousin
Currywurst, die, "-e 102/7	curry sausage
da (1) *(In der Schweiz, da bin ich gern.)* 20/12	there *(In Switzerland, that's where I like to be.)*
da (2) *(Paul hat Geburtstag. Mensch, da muss ich noch ein Geschenk kaufen.)* 96/9	*here:* so *(It's Paul's birthday, so I still have to buy him a present.)*
da sein, er ist da 93/4	to be there
danach 72/4	after
Dank, der *Sg.* 97/9	gratitude
danke 10/4	thanks
dann 24/2	then
das 8/1	the
dass 65/10	that
Dativ, der, -e 92/3	dative
dauern 109/10	to last
dein, deine 18/8	your
denn 27/9	because
der 8/1	the
deshalb 104/14	because of that, therefore
Deutsch (1), das *Sg. (die Sprache)* 13/12	German *(language)*
Deutsch (2) *Sg. ohne Artikel (das Schulfach)* 31/1	German *(subject)*
deutsch 51/18	German *(adj.)*
Deutschbuch, das, "-er 24/2	German book
Deutsche, der/die, -n 45/3	German
Deutschland *Sg. ohne Artikel* 8/1	Germany
Dialog, der, -e 10/4	dialogue
dich 57/8	you
die 8/1	the
Dienstag, der, -e 33/5	Tuesday
diktieren 11/8	to dictate
dir 10/4	to you
direkt 91/1	directly
Direktor, der, -en 32/4	principal
Disco, die, -s (*Abk.* für Diskothek) 91/2	disco
diskutieren 105	to discuss
doch 20/12	but, however

Donnerstag, der, -e 33/5	Thursday
Donnerwetter, das *Sg.* 97/10	Wow!
doof 63/6	stupid
dort 101/5	there
Drama, das, Dramen 12/9	drama
drehen 34/10	here: to film
drücken 85/4	to press
du 8	you
dunkel, dunkler, am dunkelsten 52	dark, darker, darkest
dunkelblau 67/14	dark blue
dunkelgrün 67/14	dark green
dürfen, er darf 88/11	to be allowed to
Durst, der *Sg.* 102/8	thirst
Dusche, die, -n 111/13	shower
duschen 72/4	to shower
echt 10/4	really; genuine
egal 97/9	never mind
Ei, das, -er 96/9	egg
eigen- 19/10	own
ein, eine 15/1	a
ein bisschen 16/3	a little
ein paar 110/11	a pair, a couple
einfach (1) *(Ich kann einfache Fragen stellen.)* 30	easy *(I can ask simple questions.)*
einfach (2) *(Er ist einfach super toll.)* 53/2	simply, just *(He is just awesome.)*
Eingang, der, "-e 95/8	entrance
einkaufen, er kauft ein 58/12	to buy, go shopping
einladen, er lädt ein 64/8	to invite
Einladung, die, -en 85/4	invitation
einmal 16/3	once
Eins, die, -en *(Schulnote)* 31/1	one (school grade, equivalent to an A)
einschlafen, er schläft ein 75/10	to fall asleep
einsteigen, er steigt ein 96/9	to get in
einverstanden sein, er ist einverstanden 105/17	to be in agreement
Eis, das *Sg.* 27/11	ice cream
Eiscafé, das, -s 55/5	ice cream parlor
Eiskunstlauf, der *Sg.* 65/10	ice skating
Elefant, der, -en 26/5	elephant
Eltern, die *Pl.* 45/3	parents
E-Mail, die, -s 21/16	e-mail

E-Mail-Adresse, die, -n 97/10	e-mail address
Ende, das, -n 57/8	end
endlich 74/8	finally
Endung, die, -en 17/6	ending
Englisch, das (1) *Sg. (die Sprache)* 18/8	English *(language)*
Englisch (2) *Sg. ohne Artikel (das Schulfach)* 31/1	English *(subject)*
Ente, die, -n 50/17	duck
Entschuldigung, die, -en 87/10	excuse
er 15/1	he
Erdgeschoss, das, -e 95/8	first floor
erfinden 88/13	*here:* to come up with
erfragen 71/3	to ask for
ergänzen 17/6	to complete
Ergebnis, das, -se 45/3	result
erklären 32/4	to explain
ersetzen 55/6	to substitute
erst 45/3	first
erstellen 73/5	to create
Erwachsene, der/die, -n 51/18	adult
erzählen 32/3	to tell
es 15/1	it
es gibt *(Am ersten Schultag gibt es eine Schultüte.)* 31/1	there is *(On the first day of school students get a large decorated cone filled with sweets and presents.)*
Essen, das *Sg.* 12/10	food, meal
essen, er isst 48/11	to eat
etwa 109/10	approximate
etwas 64/8	something
euch 31/2	(to) you *(pl.)*
euer, eure 10/4	your *(pl.)*
Euro, der, -s, *aber:* 10 Euro *(Abk. €)* 31/1	Euro
Europa *Sg. ohne Artikel* 51/18	Europe
existieren 110/12	to exist
extra 101/3	extra
Fach, das, "-er 36/14	(school) subject
fahren, er fährt 16/3	to drive, to ride
Fahrkarte, die, -n 24/2	ticket
Fahrrad, das, "-er 29/16	bike

Fahrradrennen, das, – 105/17	bike race
Fahrradschlüssel, der, – 111/13	bike key
Fahrradtour, die, -en 100/2	bike tour
falsch 40/2	wrong
Familie, die, -n 51/18	family
Familienfoto, das, -s 70/2	family photo
Fantasiebild, das, -er 26/5	imaginary picture, image
Farbe, die, -n 26/5	color
farbig 26/5	colorful
fast 96/9	almost
faul 106	lazy
faulenzen 62/3	to be lazy
fehlen 35/11	to be missing
Fehler, der, – 33/5	mistake
Feier, die, -n 84/2	party
feiern 58/13	to celebrate
Fell, das, -e 46/4	fur
Fenster, das, – 23/1	window
Ferien, die *Pl.* 15/1	vacation, holidays
fernsehen, er sieht fern 63/5	to watch TV
Fernsehen, das *Sg.* 71/3	TV
Fernseher, der, – 57/11	TV
fertig sein, er ist fertig 97/10	to be done
Fest, das, -e 58/13	party
Fieber, das *Sg.* 87/9	fever
Film, der, -e 12/10	movie
filmen 15/1	to film
finden (1) *(Er findet Computer toll.)* 15/1	to find, to think of *(He thinks computers are great.)*
finden (2) *(Sie findet den Computer nicht.)* 21/15	to find *(She does not find the computer.)*
Fisch, der, -e 19/10	fish
Fischbrötchen, das, – 102/7	fish burger
fischen 46/7	to fish
Fischer, der, – 46/7	fisherman
Fischmarkt, der, "-e 102/7	fish market
Fischsuppe, die, -n 100/2	fish soup
Flagge, die, -n 18/7	flag
Flasche, die, -n 102/7	bottle
fleißig 59/14	industrious
Fliege, die, -n 45/1	fly

fliegen 46/7	to fly
Flohmarkt, der, "-e 63/5	flea market
Flugzeug, das, -e 104/15	airplane
Fluss, der, "-e 101/6	river
Folge, die, -n 104/14	cause
Form, die, -en 47/10	form
formell 34/10	formal(ly)
Foto, das, -s 9/3	photo
fotografieren 15/1	to take photos
Frage, die, -n 20/14	question
fragen 16/4	to ask
Französisch (1), das *Sg.* *(die Sprache)* 18/8	French *(language)*
Französisch (2) *Sg. ohne Artikel (das Schulfach)* 33/5	French *(subject)*
Frau, die, -en 10/4	woman
frei 63/5	free
freihaben, er hat frei 58/13	to have off
Freitag, der, -e 33/5	Friday
Freizeit, die *Sg.* 53	leisure time
Freizeitpark, der, -s 54/3	amusement park
freuen (+ sich) 53/2	to be happy
Freund, der, -e 16/3	friend
Freundin, die, -nen 21/15	female friend
freundlich 85/4	friendly
frisch 46/7	fresh
Frisör, der, -e 51/18	hair stylist
Frisörin, die, -nen 108/4	female hair stylist
froh 56/7	happy, glad
Frohe Ostern! 83/1	Happy Easter!
Frohe Weihnachten! 83/1	Merry Christmas!
früh 57/10	early
Frühling, der, -e 84/3	spring
Frühstück, das, -e *(meist Sg.)* 96/9	breakfast
frühstücken 110/11	to have breakfast
Füller, der, – 24/2	fountain pen
funktionieren 49/13	to function, work
für (+ *A.*) 15/1	for
Fuß, der, "-e 86/6	foot
Fußball, der, "-e 9/3	soccer
Fußballspiel, das, -e 15/2	soccer game
Fußballtrainer, der, – 63/6	soccer coach
ganz (1) *(Das ist ganz o.k.)* 33/5	total(ly), completely *(That's completely okay.)*
ganz- (2) *(Er arbeitet den ganzen Tag.)* 88/11	whole *(He works the whole day.)*
gar nicht 103/9	not at all
Garten, der, "– 48/11	garden
Gärtner, der, – 108/5	gardener
Gast, der, "-e 84/2	guest
geben, er gibt 31/1	to give
Geburtstag, der, -e 54/3	birthday
Geburtstagsfest, das, -e 84/2	birthday party
Geburtstagskalender, der, – 84/3	birthday calendar
Geburtstagskind, das, -er 84/2	birthday child
Geburtstagsparty, die, -s 84/2	birthday party
gefallen, er gefällt 66/12	to like; to please
gegen (+ *A.*) 53/1	versus
Gegenstand, der, "-e 30	object
Gegenvorschlag, der, "-e 99	counter proposal
gehen (1) *(Wie geht's?)* 10/4	to go *(How are you?)*
gehen (2) *(Ich gehe ins Gymnasium.)* 16/3	to go *(I go to high school.)*
gehen (3) *(Das geht.)* 55/5	to go; *here:* to work *(That works out.)*
gelb 46/5	yellow
Geld, das, -er 29/18	money
Geldbeutel, der, – 27/10	purse, wallet
genau 20/14	exact(ly)
genial 71/3	ingenious
Geografie *Sg. ohne Artikel (das Schulfach)* 31/1	geography
gerade 96/9	*here:* just now
geradeaus 94/6	straight ahead
Geräusch, das, -e 9/3	sound
gern(e), lieber, am liebsten 16/3	like, rather, most
Geschäft, das, -e 91/1	store
Geschenk, das, -e 31/1	present, gift
Geschichte (1) *Sg. ohne Artikel (das Schulfach) (Ich habe heute Kunst und Geschichte.)* 33/6	history *(Today I have art and history.)*
Geschichte, die (2), -n *(die Story) (Wir lesen eine Geschichte.)* 56/7	story *(We are reading a story.)*
Geschwister, die *Pl.* 70/2	siblings
Gespräch, das, -e 66/11	talk, conversation
gestern 87/8	yesterday
Gestik, die *Sg.* 111/13	gesture
Getränk, das, -e 106	drink
gewinnen 53/2	to win
Gitarre, die, -n 16/3	guitar

Glas, das, "-er 93/4	glass
glauben 97/10	to believe
gleich (1) *(Was ist gleich? Was ist anders?)* 19	same *(What is the same? What is different?)*
gleich (2) *(Es ist gleich 3 Uhr.)* 56/7	almost, soon *(It is almost 3 o'clock.)*
Gleis, das, -e 96/9	track
Glück, das *Sg.* 83/1	happiness, luck
glücklich 56/7	happy
Glückwunsch, der, "-e 83/1	best wishes
Grafik, die, -en 85/5	diagram
Grammatik, die, -en 14	grammar
grau 46/5	grey
groß, größer, am größten 102/7	big, bigger, biggest
Großeltern, die *Pl.* 70/2	grandparents
Großmutter, die, "– 70/2	grandmother
Großvater, der, "– 70/2	grandfather
Grüezi! 14	Hi!
grün 46/5	green
Grund, der, "-e 104/14	reason
Gruppe, die, -n 19/9	group
Gruß, der, "-e 21/15	greeting
gut, **besser**, am besten 10/4	good, better, best
Gute Besserung! 83/1	Get well!
Gute Nacht! 10/4	Good night!
Gute Reise! 83/1	Have a good trip!
Guten Abend! 10/4	Good evening!
Guten Appetit! 83/1	Bon appetit!
Guten Morgen! 10/4	Good morning!
Guten Tag! 10/4	Good day!
Gymnasium, das, Gymnasien 16/3	high school
Haar, das, -e 67/14	hair
haben, er hat 21/15	to have
Hafen, der, "– 100/2	harbor
Hahn, der, "-e 50/17	rooster
halb 37/16	half
Hallo! 10/4	Hello!
Hals, der, "-e 86/6	throat
halten, er hält 96/9	to hold
Haltestelle, die, -n 91/1	stop
Hamburger, der, – *(Ich esse gern Pizza und Hamburger.)* 12/9	hamburger *(I like to eat pizza and hamburger.)*
Hand, die, "-e 86/7	hand
Handy, das, -s 24/2	cell phone
Hauptsache, die, -n 97/9	main thing
Hauptstadt, die, "-e 104/14	capitol
Haus, das, "-er 49/14	house
Hausaufgabe, die, -n 26/8	homework
Hausfrau, die, -en 108/4	home maker
Hausmann, der, "-er 108/4	male home maker
Haustier, das, -e 47/10	pet
Heft, das, -e 11/6	notebook
heiß 96/9	hot
heißen, du heißt 10/4	to be called
helfen, er hilft 13/11	to help
hell 52	light, bright
hellblau 67/14	light blue
hellgrün 67/14	light green
Herbst, der, -e 84/3	fall
herkommen, er kommt her 20/12	to come (here)
Herr, der, -en 10/4	Mr.
herzlich 13/11	heartily
Herzliche Grüße 103/10	greetings
Herzlichen Glückwunsch! 83/1	all the best
heute 31/1	today
hey 97/10	hey
hi! 10/4	Hi!
hier 10/4	here
Hilfe, die, -n 91/2	help
hinfahren, er fährt hin 53/2	to drive to
hingehen, er geht hin 54/4	to go to
hinten 71/3	behind, in the back
hinter (+ *A./D.*) 46/7	behind
hinterherfliegen, er fliegt hinterher 46/7	to fly behind
Hobby, das, -s 15/1	hobby
holen 34/10	to get, fetch
hören 10/4	to hear
Hose, die, -n 54/3	pants
Hotel, das, -s 100/2	hotel
Hund, der, -e 21/15	dog
Hundefrisör, der, -e 51/18	dog groomer
Hundefutter, das *Sg.* 51/18	dog food
Hunger, der *Sg.* 96/9	hunger
Hypothese, die, -n 99/1	hypothesis
ich 10/4	in
Idee, die, -n 34/10	idea
identisch 26/5	identical

Igitt! 100/2	yuck!
ihm 89/14	to him
ihn 112/14	him
ihr (1) *(Was kennt ihr?)* 12/9	you *(pl.) (What do you know?)*
ihr, ihre (2) *(Eva holt ihre Oma ab.)* 46/4	her *(Eva is picking up her grandma.)*
Ihr, Ihre *(Suchen Sie Ihr Auto?)* 49/13	your *(formal) (Are you looking for your car?)*
im (= in dem) (+ *D.*) 13/11	in the
immer 32/4	always
Imperativ, der, -e 75/10	imperative
in (+ *A./D.*) 8/1	in
Information, die, -en 16/3	information
Ingenieur, der, -e 108/4	engineer
Ingenieurin, die, -nen 108/4	female engineer
ins (= in das) (+ *A.*) 11/6	into
Insel, die, -n 31/1	island
Instrument, das, -e 21/15	instrument
intelligent 34/10	intelligent
interessant 32/4	interesting
Interesse, das, -n 29/18	interest
interessieren (+ sich) 103/12	to interest
international 12	international
Internet, das *Sg.* 22	internet
Internet-Forum, das, Foren 110/12	internet forum
Interview, das, -s 15/1	interview
Intonation, die, -en 111/13	intonation
I-Pod, der, -s 24/2	Ipod
Italienisch, das *Sg. (die Sprache)* 18/8	Italian *(language)*
italienisch 31/1	Italian *(adj.)*
ja (1) *(Magst du Tokio Hotel? – Ja.)* 10/4	yes *(Do you like Tokio Hotel? – Yes.)*
ja (2) *(Ein bisschen schmutzig ist es ja schon.)* 97/9	*here:* indeed *(It is indeed a little dirty.)*
Ja-/Nein-Frage, die, -n 28/15	yes/no-question
Jacke, die, -n 66/11	jacket
Jahr, das, -e 17/6	year
Jahreszeit, die, -en 90	season
je 76	(for) each
Jeans, die, – 56/7	jeans
jed- *(Ich stehe jeden Morgen um 8 Uhr auf.)* 57/10	every *(I get up at 8 AM every morning.)*
jemand 14	someone
jetzt 16/3	now
Job, der, -s 109/10	job
jobben 109/10	to work a temp job
joggen 64/7	to jog
Jugendclub, der, -s 61/1	youth club
Jugendgruppe, die, -n 101/4	youth group
Jugendherberge, die, -n 100/2	youth hostel
Jugendhotel, das, -s 101/4	youth hostel
Jugendliche, der/die, -n 84/2	adolescent
Jugendzentrum, das, -zentren 91/2	youth center
jung, jünger, am jüngsten 100/2	young, younger, youngest
Junge, der, -n 36/14	boy
Kaffee, der, -s *(meist Sg.)* 57/11	coffee
Kakao, der *Sg.* 57/11	cocoa
kalt, kälter, am kältesten 48/11	cold, colder, coldest
Kamel, das, -e 49/13	camel
Kamera, die, -s 22	camera
Kamerafrau, die, -en 15/1	camerawoman
Känguru, das, -s 45/3	kangaroo
Kapitel, das, – 14	chapter
kaputt 87/10	broken
Kärtchen, das, – 36/14	index card
Karte (1), die, -n *(Wir spielen Karten.)* 61/1	cards *(We are playing cards.)*
Karte (2), die, -n *(Sucht die Stadt auf der Karte.)* 99/1	map *(Look for the city on the map.)*
Kartenspiel, das, -e 63/6	card game
Käse, der *Sg.* 91/2	cheese
Käsebrötchen, das, – 102/7	roll with cheese
Katastrophe, die, -n 111/13	catastrophe
Katastrophentag, der, -e 111/13	catastrophic day
Katze, die, -n 36/14	cat
kaufen 49/14	to buy
Kauffrau, die, -en 108/4	businesswoman
Kaufhaus, das, ″-er 66/11	department store
Kaufmann, der, ″-er 108/4	businessman
kein- *(Ich habe keine Ahnung.)* 8/1	no *(with noun) (I have no idea.)*
kennen 12/9	to know

kennenlernen, er lernt kennen 110/12	to get to know
Kind, das, -er 51/18	child
Kino, das, -s 54/3	movie theater
Kiosk, der, -e 91/1	kiosk
Kirche, die, -n 103/12	church
Klamotte, die, -n 67/14	clothing
klar 34/10	sure
Klasse, die, -n 16/3	class
klasse 66/12	great
Klassenarbeit, die, -en 83/1	class work
Klassenzimmer, das, – 23/1	classroom
Klavier, das, -e 16/3	piano
Klavierunterricht, der *Sg.* 87/10	piano lesson
Kleid, das, -er 66/11	dress
Kleidung, die, -en 66/12	clothing
Kleidungsstück, das, -e 66/11	piece of clothing
klein 31/1	little, small
Kleine, der/die, -n 109/10	little one
klettern 61/1	to climb
klingeln 48/11	to ring
Koch, der, ″-e 71/3	cook
Koch-AG, die, -s 31/1	cooking club
kochen 20/14	to cook
Kollege, der, -n 34/10	colleague
komisch 97/10	funny
kommen 20/14	to come
komplett 66/11	complete(ly)
kompliziert 31/1	complicated
Kompositum, das, Komposita 26/7	composite
Konflikt, der, -e 71/3	conflict
König, der, -e 88	king
können, er kann 11/8	can, to be able to
Konsequenz, die, -en 104/14	consequence
Kontext, der, -e 109/7	context
kontrollieren 15/1	to control, to check
Konzert, das, -e 13/11	concert
Kopf, der, ″-e 48/12	head
Kopfschmerz, der, -en 87/8	headache
kopieren 96/9	to copy
korrigieren 33/5	to correct
kosten 101/3	to cost
Krach, der *Sg.* 74/7	ruckus
krank, kränker, am kränksten 85/5	sick, sicker, sickest
Krankenbesuch, der, -e 83/1	hospital visit
Krankenhaus, das, ″-er 87/8	hospital
Kreuzung, die, -en 94/6	intersection
Krokodil, das, -e 45/3	crocodile
Küche, die, -n 72/4	kitchen
Kuchen, der, – 84/2	cake
Kugelschreiber, der, – 24/2 → Kuli	ballpoint pen
Kuh, die, ″-e 50/17	cow
Kühlschrank, der, ″-e 96/9	refrigerator
Kuli, der, -s (= *Abk.* für Kugelschreiber, der, –) 24/2	ballpoint pen
Kultur, die, -en 103/12	culture
Kunst *Sg. ohne Artikel (das Schulfach)* 33/6	art
Künstler, der, – 108/4	artist
Künstlerin, die, -nen 108/4	female artist
Kursbuch, das, ″-er 100/2	course book
kurz, kürzer, am kürzesten 11/6	short, shorter, shortest
Kürzel, das, – 85/4	abbreviation
Lampe, die, -n 15/1	lamp
Land, das, ″-er 18/7	country, land
Ländername, der, -n 18/7	name of the country
lang, länger, am längsten 11/6	long, longer, longest
langsam 74/9	slow(ly)
langweilig 55/5	boring
lassen, er lässt 74/7	to let
Latein *Sg. ohne Artikel (das Schulfach)* 33/5	Latin *(subject)*
laufen (1), er läuft *(im Sinne von joggen) (Wollen wir um den See laufen?)* 46/4	he runs *(Do we want to run around the lake?)*
laufen (2), er läuft *(im Sinne von gehen) (Peter läuft von der Schule nach Hause.)* 64/8	to walk *(Peter walks home from school.)*
laut 19/9	loud
Leben, das, – 110	life
Lebensmittel, die *Pl.* 98	food
lecker 73/5	tasty
Lederjacke, die, -n 56/7	leather jacket
leer 96/9	empty
legen 93/5	to lay
Lehrer, der, – 32/4	teacher

Lehrerin, die, -nen 23/1	female teacher
Lehrerzimmer, das, – 95/8	faculty room, teachers' lounge
leicht 94/6	easy
leider 55/5	unfortunately
leidtun, es tut leid 55/5	to be sorry
leise 74/7	quiet(ly)
lernen 26/5	to learn
Lernkarte, die, -n 36/15	flash card
Lerntipp, der, -s 13/11	learning hint
lesen, er liest 9/2	to read
Leute, die *Pl.* 46	people
lieb 21/15	dear
lieb haben, er hat lieb 85/4	to like someone a lot
lieben 20/12	to love
lieber 63/6	rather
Liebling, der, -e 46/5	darling, favorite
Lieblings- 32/4	favorite
Lieblingsbuch, das, ʺ-er 65/9	favorite book
Lieblingsessen, das, – 65/9	favorite food
Lieblingsfarbe, die, -n 65/9	favorite color
Lieblingsfilm, der, -e 64/7	favorite movie
Lieblingsgruppe, die, -n 65/9	favorite group
Lieblingslehrer, der, – 32/4	favorite teacher
Lieblingsmusik, die, -en *(meist Sg.)* 88/11	favorite music
Lieblingssänger, der, – 65/10	favorite singer
Lieblingstier, das, -e 45/3	favorite animal
liegen (1) *(Bern liegt in der Schweiz.)* 20/12	to lie, to be situated *(Bern is in Switzerland.)*
liegen (2) *(Der Bleistift liegt neben der Schere.)* 93/5	to lie *(The pencil lies next to the scissors.)*
lila 67/14	purple
Limonade, die, -n 84/2	pop; lemonade
Lineal, das, -e 24/2	ruler
links 71/3	left
Liste, die, -n 12/10	list
los sein, es ist los *(Was ist los?)* 56/7	to be up *(What's up?)*
losfahren, er fährt los 100/2	to depart
losgehen, er geht los *(Jetzt geht's los.)* 93/5	to start *(Now it's starting.)*
Lösung, die, -en 69/1	solution; *here:* answer
Lotto, das, -s 35/13	lotto
Lust, die *Sg.* 29/18	desire, interest
Lust haben, er hat Lust 55/5	to feel like
lustig 32/4	funny
machen (1) *(Er macht eine Liste.)* 12/10	to do, to make *(He makes a list.)*
machen (2) *(Deutsch macht Spaß.)* 20/12	to make, to be *(German is fun.)*
machen (3) *(Ich mache Musik.)* 20/14	to make *(I make music.)*
machen (4) *(Das macht 10 Euro.)* 66/11	*here:* to be *(That would be 10 Euro.)*
machen (5) *(Du machst einen Vorschlag.)* 106	to make *(You make a suggestion.)*
Mädchen, das, – 36/14	girl
Mail, die, -s 21/16	mail
mal *(Schaut mal.)* 16/3	for once, sometime *(Look for once.)*
mal sehen 55/5	let's see
malen 62/4	to paint
Mama, die, -s 97/10	mama
man 19/9	one, someone
manche 84/2	some
manchmal 58/12	sometimes
Mann, der, ʺ-er 74/8	man
Mäppchen, das, – 24/2	pencil case
Marionette, die, -n 71/3	marionette
Marker, der, – 24/2	marker
markieren 11/6	to mark
Marktplatz, der, ʺ-e 94/6	market place
Marmelade, die, -n 96/9	jam
Mathe *Sg. ohne Artikel (Abk. für das Schulfach Mathematik)* 34/10	math *(subject)*
Mathebuch, das, ʺ-er 96/9	math book
Mathelehrer, der, – 49/14	math teacher
Mathematik *Sg. ohne Artikel (das Schulfach)* 31/1	Math
Mathetest, der, -s 87/8	math test
Medien-AG, die, -s 15/1	school film club
Medikament, das, -e 91/2	prescription drug
Medium, das, Medien 15/1	media
Meer, das, -e 104/13	ocean
mehr *(Sammelt noch mehr Wörter.)* 23/1	more *(Collect even more words.)*
mein, meine 10/4	my
meinen 110/11	to think
Mensch, der, -en 46	human being
Meter, der, – 54/3	meter

mich 16/3	me
Milch, die *Sg.* 96/9	milk
Milliarde, die, -n 51/18	billion
Mimik, die *Sg.* 111/13	facial expression
Mindmap, die, -s 73/5	mindmap
Mineralwasser, das *Sg.* 102/7	mineral water
Minidialog, der, -e 49/14	mini dialogue
Minute, die, -n 34/10	minute
mir 55/5	to me
Missverständnis, das, -se 56/7	misunderstanding
Mist, der *Sg.* 29/17	rubbish
mit (+ *D.*) 10/4	with
mitbringen, er bringt mit 73/6	to bring along
mitgehen, er geht mit 55/5	to go along
mitkommen, er kommt mit 29/18	to come along
mitlesen, er liest mit 71/3	to read along
mitnehmen, er nimmt mit 118/7	to take along
mitsingen, er singt mit 20/12	to sing along
Mittag, der, -e 62/3	noon
Mittagessen, das, – 101/3	lunch
mittags 114	noon
Mittagspause, die, -n 32/4	lunch break
Mitte, die, -n 57/8	middle
Mittwoch, der, -e 33/7	Wednesday
Modalverb, das, -en 88/12	modal verb
Mode, die, -n 31/1	fashion
Model, das, -s 108/4	model
mögen, er mag 10/4	to like
Moment, der, -e 34/10	moment
Monat, der, -e 84/3	month
Monatsname, der, -n 84/3	name of the month
Montag, der, -e 33/5	Monday
Montagmorgen, der, – 96/9	Monday morning
Morgen, der, – 33/5	morning
morgen 53/2	tomorrow
Motor, der, -en 27/9	motor
Motorrad, das, "-er 69/1	motorcycle
Mountainbike, das, -s 53/2	mountain bike
müde 87/10	tired
Mund, der, "-er 86/7	mouth
Museum, das, Museen 54/4	museum
Musical, das, -s 100/2	musical
Musik (1), die, -en *(meist Sg.) (Ich höre Musik.)* 11/6	music *(I listen to music.)*
Musik (2) *Sg. ohne Artikel (das Schulfach) (Ich habe morgen Bio, Mathe und Musik.)* 33/6	music *(Tomorrow I have biology, math and music.)*
Musiklehrer, der, – 17/6	music teacher
müssen, er muss 58/13	to have to
Mutter, die, "– 69/1	mother
na 100/2	well
na dann 87/8	oh well
na ja 49/14	oh well
nach (1) (+ *D.*) *(Nach Kapitel 1 kommt Kapitel 2.)* 14	after *(Chapter 2 follows Chapter 1.)*
nach (2) (+ *D.*) *(An der Kreuzung gehst du nach rechts.)* 94/6	toward *(At the intersection you go toward the right.)*
nach Hause 56/7	home
Nachbarin, die, -nen 65/10	neighbor
Nachhilfe, die, -n 87/10	tutoring, private lessons
Nachhilfeunterricht, der *Sg.* 58/13	private tutoring
Nachmittag, der, -e 33/5	afternoon
Nachname, der, -n 65/9	last name
nachschlagen, er schlägt nach 64/8	to look up
nachsprechen, er spricht nach 18/7	to repeat
nächst- *(Nächstes Mal kommst du mit!)* 103/10	next *(Next time you come along!)*
Nacht, die, "-e 101/3	night
nah, näher, am nächsten 91/1	near, nearer, nearest
Name, der, -n 10/4	name
Nase, die, -n 86/7	nose
nass 56/7	wet
natürlich 53/2	of course, naturally
neben (+ *A./D.*) 92/3	next to
nehmen (1), er nimmt *(Ich nehme den Bus.)* 56/7	to take *(I take the bus.)*
nehmen (2), er nimmt *(Ich nehme den Pullover.)* 66/11	to take *(I take the sweater.)*
nein 16/4	no
Nein-Typ, der, -en 59/16	naysayer
nennen 16/3	to call
nervös 96/9	nervous

nett 32/4	nice
neu 53/2	new; *here:* once again
nicht 16/3	not
nicht mehr 103/12	not anymore
nichts 96/9	nothing
nie 46/6	never
niemand 56/7	nobody
noch 23/1	yet, even
noch einmal 16/3	not once
noch nicht 102/8	not yet
noch nie 105/19	not yet
Nomen, das, – 26	noun
Nominativ, der, -e 27/12	nominative
Norden, der *Sg.* 99/1	north
normal 110/11	normal(ly)
Note, die, -n 31/2	grade
notieren 13/11	to write down
Notiz, die, -en 89/14	note
Notizzettel, der, – 97/9	memo, notepad
Nummer, die, -n 15/1	number
nummerieren 15/1	to number
nur 51/18	only
o.k. (= okay) 33/5	okay
Obst, das *Sg.* 31/1	fruit
oder 15/1	or
oft 58/12	often
oh 10/4	oh
Oh Mann! (Mann, der, ″-er) 74/8	Oh man!
ohne (+*A.*) 118/7	without
Ohr, das, -en 86/7	ear
Oma, die, -s 70/2	grandma
Onkel, der, -s 70/2	uncle
Opa, der, -s 69/1	grandpa
orange 52	orange
Orchester, das, – 33/5	orchestra
orientieren 99/1	to orient oneself
Ort, der, -e 54/4	place
Ortsangabe, die, -n 98	location
Osten, der *Sg.* 99/1	east
Ostern, das, – 83/1	Easter
Österreich *Sg. ohne Artikel* 8/1	Austria
Paar, das, -e 46/6	pair
packen 96/9	to pack
Papa, der, -s 69/1	dad
Papagei, der, -en 45/1	parrot
Papier, das, -e 93/5	paper
Park, der, -s 15/2	park
Partnerarbeit, die, -en 38	partner work
Partnerschule, die, -n 32/4	partner school
Partnerwort, das, ″-er 46/6	pair word
Party, die, -s 15/1	party
passen 9/3	to fit, match
passieren 87/8	to happen
Pause, die, -n 37/19	break
Pausenbrot, das, -e 24/2	sandwich for breaktime
Pech, das *Sg.* 56/7	pity
peinlich 110/12	embarrassing
perfekt 55/6	perfect(ly)
Person, die, -en 69/1	person
Personalpronomen, das, – 112/14	personal pronoun
Pfeil, der, -e 104/13	arrow
Pferd, das, -e 45/1	horse
Physik *Sg. ohne Artikel (Schulfach)* 33/6	physics *(subject)*
Pilot, der, -en 108/6	pilot
Pilotin, die, -nen 108/6	female pilot
Pinguin, der, -e 45/1	penguin
Pizza, die, -s 12/9	pizza
Plakat, das, -e 17/5	poster
planen 89/14	to plan
Platz, der, ″-e 51/18	place
Plural, der, -e 34/10	plural
Politiker, der, – 108/4	politician
Politikerin, die, -nen 108/4	female politician
Polizei, die *Sg.* 91/2	police
Polizist, der, -en 69/1	policeman
Polizistin, die, -nen 108/4	police woman
Pommes, die *Pl.* (= Pommes frites) 88/11	fries *(French fries)*
Pony, das, -s 50/15	pony
Portion, die, -en 102/7	portion
Position, die, -en 62/3	position
positiv 53/2	positive(ly)
Possessivartikel, der, – 47/10	possessive article
Post, die *Sg.* 91/2	post office
Postkarte, die, -n 103/10	postcard
Präposition, die, -en 93/5	preposition
Präsentation, die, -en 109/8	presentation
Präteritum, das 90	simple past
Preis, der, -e 67/13	price
prima 54/3	great
pro (+ *A.*) *(pro Jahr)* 51/18	per

proben 34/10	to rehearse
Problem, das, -e 86/7	problem
Projekt, das, -e 12/10	project
Pronomen, das, – 34/10	pronoun
Prozent (%), das, -e 45/3	percent
Pullover, der, – 66/11	sweater
pünktlich 13/11	punctual(ly)
Puzzle, das, – 23/1	puzzle
Quark, der *Sg.* 96/9	Greek yogurt
Quatsch, der *Sg.* 105/16	nonsense
quatschen 110/11	to talk, gossip
Quiz, das, – 46/5	quiz
Rad, das, ″-er 53/2	bike
Radfahren, das *Sg.* 46/4	to bike
Radiergummi, der, -s 24/2	eraser
Radio, das, -s 57/10	radio
Rap, der, -s 20/14	rap
raten, er rät 109/9	to guess
Rathaus, das, ″-er 93/4	city hall
Rätsel, das, – 108/5	riddle
Ratte, die, -n 47/9	rat
rauskommen, er kommt raus 74/7	to come out
recht haben, er hat recht 100/2	to be right
rechts 71/3	right
Redemittel, das, – 66/12	conversational aids
reden 109/7	to speak
Regal, das, -e 23/1	shelves
Regel, die, -n 17/6	rule
regelmäßig 64/8	regular
regnen 56/7	to rain
reichen 109/10	to suffice
Reichstag, der *Sg.* 8/1	parliament
Reihe, die, -n 35/11	row
Reihenfolge, die, -n 48/11	order
reinkommen, er kommt rein 72	to come in
Reise, die, -n 83/1	trip
reisen 103/9	to travel
Reiten, das *Sg.* 46/4	(horseback)riding
Religion *Sg. ohne Artikel (das Schulfach)* 33/6	religious studies
reparieren 109/7	to repair
reservieren 100/2	to reserve
Restaurant, das, -s 19/9	restaurant
Rhythmus, der, Rhythmen 57/8	rhythm
richtig 28/13	correct, right
Roboter, der, – 94/6	robot
rosa 67/14	pink
Rose, die, -n 56/7	rose
rot 46/5	red
Rücken, der, – 48/12	back
rufen 48/11	to shout
Rugby, das *Sg.* 65/9	rugby
Ruhe, die, – *(Lass mich in Ruhe.)* 74/7	*here:* peace *(Leave me in peace.)*
Sache, die, -n (z.B. in *Schulsachen*) 24/2	thing
Saft, der, ″-e 84/2	juice
sagen 16/3	to say
Salat, der, -e 96/9	salad
sammeln 12/10	to collect
Samstag, der, -e 33/5	Saturday
Sänger, der, – 54/3	singer
Satz, der, ″-e 14	sentence
Satzmelodie, die, -n 19/10	sentence rhythm
sauer, saurer, am sauersten 74/7	*here:* upset
Saxofon, das, -e 41/4	saxophon
schade 53/1	too bad
schaffen 111/13	to accomplish, do
Schal, der, -s 66/11	scarf
Schatz, der, ″-e 112/17	darling, treasure
schätzen 35/12	to guess
schauen 16/3	to see
Schauspieler, der, – 108/4	actor
Schauspielerin, die, -nen 108/4	actress
schenken 89/14	to give as a gift
Schere, die, -n 24/2	scissors
scheußlich 67/13	awful
Schiff, das, -e 100/2	ship
schlafen, er schläft 75/10	to sleep
Schlafzimmer, das, – 72/4	bedroom
Schlange, die, -n 49/13	snake
schlecht (1) *(Mir geht es schlecht.)* 86/6	miserable *(I am feeling bad.)*
schlecht (2) *(Er ist schlecht in Mathe.)* 97/10	bad *(He is bad at math.)*
schließen 100/2	to shut
Schloss, das, ″-er 101/4	palace
Schluss, der *Sg.* 37/19	end
schmecken 63/6	to taste
Schmerz, der, -en 90	pain
schmutzig 97/9	dirty
schnell 57/10	fast
Schokolade, die, -n 8/1	chocolate

schon 56/7	already
schön 49/14	nice
Schrank, der, "-e 23/1	cupboard
schrecklich 58/13	terrible
schreiben 11/6	to write
Schreibtisch, der, -e 96/9	desk
Schuh, der, -e 67/14	shoe
Schulalltag, der *Sg.* 23	everyday life at school
Schulband, die, -s 32/3	school band
Schule, die, -n 15/1	school
Schüler, der, – 23/1	student
Schülerin, die, -nen 23/1	female student
Schulfach, das, "-er 33/6	(school) subject
Schulfest, das, -e 87/9	school festival
schulfrei 33/5	off from school, no school
Schulhof, der, "-e 27/11	school yard
Schulklasse, die, -n 101/4	school class
Schulsachen, die *Pl.* 24/2	school things
Schultag, der, -e 31/2	school day
Schultasche, die, -n 23/1	school bag
Schultüte, die, -n 31/2	large decorated cone filled with sweets and gifts for children when they enter school
Schuluniform, die, -en 31/2	school uniform
Schulweg, der, -e 15/2	way to school
Schulzeitung, die, -en 32/3	school newspaper
Schwanz, der, "-e 48/12	tail
schwarz 46/4	black
Schwarzwald, der *Sg.* 104/13	Black Forest
Schwein, das, -e 50/17	pig
Schweiz, die *Sg.* 8/1	Switzerland
schwer 20/12	difficult; heavy
Schwester, die, -n 58/12	sister
Schwimmbad, das, "-er 49/14	swimming pool
schwimmen 16/3	to swim
See, der, -n 101/6	lake
sehen, er sieht 15/1	to see
sehr 20/12	very
sein (1), er ist *(Das ist Roger Federer.)* 8/1	to be *(This is Roger Federer.)*
sein, seine (2) *(Sein Fell ist weiß.)* 46/4	his *(His fur is white.)*
Seite, die, -n 36/15	page
Sekretär, der, -e 108/4	male secretary
Sekretariat, das, -e 95/8	office
Sekretärin, die, -nen 97/9	secretary
Sekunde, die, -n 38	second
selbst 27/12	self
sensationell 103/10	sensational
Serie, die, -n 71/3	series
Servus! 14	Hi! Bye!
Shampoo, das, -s 91/2	shampoo
shoppen 54/3	to shop
Shopping, das *Sg.* 66	shopping
sie (1) *(Sie filmen alles.)* 15/1	they *(They film everything.)*
sie (2) *(Sie mag Musik von „Tokio Hotel".)* 17/6	she *(She likes Tokio Hotel's music.)*
Sie (3) *(Mögen Sie die Schüler?)* 34/10	you (formal) *(Do you like the students?)*
singen 20/12	to sing
Singular, der, -e 36/14	singular
sinnvoll 46/6	meaningful
Situation, die, -en 83/1	situation
Skateboard, das, -s 63/6	skateboard
skaten 55/5	to skate
Ski, der, -er/– 16/3	ski
Skulptur, die, -en 109/7	sculpture
SMS, die, – 85/4	text message
Snowboard, das, -s 8/1	snowboard
so 20/12	so
sofort 74/7	immediately
sogar 51/18	even
Sommer, der, – 84/3	summer
Sonntag, der, -e 33/5	Sunday
sortieren 32/4	to organize; sort out
Sozialkunde *Sg. ohne Artikel (das Schulfach)* 33/6	social studies
Spaghetti, die *Pl.* 20/14	spaghetti
Spaß, der, "-e 20/12	fun
spät 37/16	late
später 74/8	later
Speise, die, -n 106	food, meal
Spezialität, die, -en 107/2	specialty
Spiel, das, -e 93/5	game
spielen (1) *(Spielt die Dialoge.)* 10/4	to play *(Play dialogues.)*
spielen (2) *(Ich spiele Gitarre.)* 16/3	to play *(I play the guitar.)*
spitze 53/2	great
Spitzer, der, – 24/2	sharpener

Sport, der (1) *Sg. (Ich mache gern Sport.)* 12/10	sports *(I like to do sports.)*
Sport (2) *Sg. ohne Artikel (das Schulfach)* 33/6	PE
Sporthalle, die, -n 95/8	gym hall
Sporthose, die, -n 24/2	pants for PE
Sportplatz, der, ″-e 27/11	playing field
Sprache, die, -n 12/9	language
sprechen, er spricht 11/5	to speak
Stadt, die, ″-e 15/1	city
Stadtmuseum, das, -museen 94/6	city museum
Start, der -s 13/11	start
Station, die, -en 96/9	station; stop
Statistik, die, -en 29/16	statistics
Steckbrief, der, -e 65/9	profile, fact sheet
stehen (1) *(Wo steht das „e"?)* 47/10	to stand *(Where is the "e"?)*
stehen (2) *(Ich stehe vorne links.)* 71/3	to stand *(I am standing to the left in front.)*
stellen *(Der Lehrer stellt eine Frage.)* 20/14	to put, to posit, to raise *(The teacher asks a question.)*
sterben, er stirbt 103/12	to die
Stift, der, -e 93/5	pen
stimmen 28/14	to be right
Stock, der, ″-e (= *Abk.* für Stockwerk, das, -e) *(Ich wohne im ersten Stock.)* 95/8	floor *(I live on the second floor.)*
stopp 94/6	stop
Straße, die, -n 65/9	street
Straßenbahn, die, -en 91/1	trolley, street car
Strategie, die, -n 47/10	strategy
Stück, das, -e 102/7	piece
Stuhl, der, ″-e 23/1	chair
Stunde, die, -n 32/4	hour
Stundenplan, der, ″-e 24/2	schedule
suchen 13/11	to search, look for
Süden, der *Sg.* 99/1	south
super 15/1	super
Supermarkt, der, ″-e 91/1	supermarket
Suppe, die, -n 102/7	soup
surfen 16/3	to surf
süß 109/10	sweet
systematisieren 47/10	to systematize
Szene, die, -n 15/2	scene
Tabelle, die, -n 17/6	table, chart
Tafel (1), die, -n *(Ergänzt Beispiele an der Tafel.)* 17/6	board *(Complete the examples on the board.)*
Tafel (2), die, -n *(Er gibt Eva eine Tafel Schokolade.)* 97/9	bar *(He gives Eva a chocolate bar.)*
Tag, der, -e 58	day
Tagesablauf, der, ″-e 57/11	daily routine
Tante, die, -n 70/2	aunt
tanzen 55/5	to dance
Tasche, die, -n 24	bag
Tasse, die, -n 96/9	cup
Tätigkeit, die, -en 109/7	(occupational) activity
tauchen 16/3	to dive
Taxi, das, -s 114	taxi, cab
Taxifahrer, der, – 108/4	cab driver
Taxifahrerin, die, -nen 108/4	female cab driver
Technik, die, -en 12/10	technology
Technikerin, die, -nen 15/1	female technician
Tee, der, -s 96/9	tea
Teil, der, -e 55/6	part
Telefon, das, -e 19/9	phone
telefonieren 59/14	to call
Teller, der, – 102/7	plate
Tennis, das *Sg.* 12/10	tennis
Test, der, -s 58/13	test
teuer, teurer, am teuersten 101/4	expensive
Text, der, -e 13/11	text
Theater, das, – 71/3	theater
Thema, das, Themen 23/1	topic
Tier, das, -e 20/14	animal
Tiername, der, -n 50/15	pet name
Tiger, der, – 45/3	tiger
Tipp, der, -s 49/13	tip, hint
Tisch, der, -e 23/1	table
Toast, der, -s 111/13	toast
Toilette, die, -n 103/12	bathroom
toll 15/1	great, awesome
Ton, der, ″-e 9/3	tone, sound
Top, das, -s 56/7	top
total 32/4	total(ly)
Tour, die, -en 13/11	tour
Tournee, die, Tourneen 13/11	(concert) tour

tragen (1), er trägt *(Sie trägt ihr neues Top.)* 56/7	to wear *(She is wearing her new top.)*
tragen (2), er trägt *(Sie kann die Tasche nicht gut tragen.)* 109/10	to carry, to wear *(She can't carry the bag easily.)*
trainieren 37/17	to train
transportieren 109/7	to transport
Traumberuf, der, -e 108/6	dream job
Traumgeburtstagsparty, die, -s 89/14	dream birthday
treffen, er trifft 56/7	to meet up with
Trendfarbe, die, -n 67/13	trendy color
trennbar 57/9	separable
Trinken, das *Sg.* 12/10	drinking
trinken 48/11	to drink
Trompete, die, -n 65/9	trumpet
trotzdem 51/18	despite
tschau 10/4	bye
tschüs 10/4	bye
T-Shirt, das, -s 66/11	t-shirt
tun, er tut 91/2	to do
Tür, die, -e 74/7	door
Turm, der, "-e 54/3	tower
turnen 65/10	to exercise
Typ, der, -en 15/1	type
typisch 74/8	typically
U-Bahn, die, -en 94/6	subway
üben 11/7	to practice
über (1) (+ *A.*) *(Was weißt du über Deutschland?)* 8	about *(What do you know about Germany?)*
über (2) (+ *A.*) *(Die Deutschen geben über 2 Milliarden Euro pro Jahr aus.)* 51/18	*here:* more than *(Germans spend more than 2 billion Euro per year.)*
über (3) (+ *A./D.*) *(Wir wohnen über der Apotheke.)* 92/3	above *(We live above the pharmacy.)*
überall 101/4	everywhere
überlegen 96/9	to think about, ponder
übernachten 100/2	to spend the night
Uhr (1), die, -en *(Hast du eine Uhr?)* 23/1	watch, clock *(Do you have a watch?)*
Uhr (2), die *(Es ist 8 Uhr 15.)* 37/16	*here:* o'clock *(It is eight fifteen).*

um (+ *A.*) *(Was machst du heute um 16 Uhr?)* 37/17	at *(What are you doing today at 4 PM?)*
Umfrage, die, -n 45/3	poll
Umlaut, der, -e 11/7	umlaut
umsteigen, er steigt um 96/9	to change *(bus, train etc.)*
unbedingt 100/2	definitely
unbestimmt 27/9	indefinite
und 8/2	and
unregelmäßig 64/8	irregular
uns 31/1	(to) us
unser, unsere 32/4	our
unter (+ *A./D.*) 92/3	under
Unterricht, der *Sg.* 37/19	instruction, class
unterrichten 32/4	to teach
Urlaub, der, -e 103/9	vacation
usw. (= und so weiter) 45/3	etc.
Variante, die, -n 55/6	variation
Vater, der, "– 70/2	father
verabreden (+ sich) 60	to make a date, appointment
verabschieden 14	to say good-bye
Verb, das, -en 17/6	verb
verbinden 26/5	to connect
Verbstamm, der, "-e 17/6	verb stem
verdienen 109/10	to earn
vergessen, er vergisst 74/8	to forget
vergleichen 13/11	to compare
verkaufen 109/7	to sell
Verkäufer, der, – 102/7	salesperson
Verkäuferin, die, -nen 108/4	female sales person
Verkehrsmittel, das, – 96/9	vehicle
verknittert 97/9	wrinkled
verneinen 23	to deny
Verneinung, die, -en 60	negation
verrückt 55/5	crazy
verstehen 13/12	to understand, comprehend
verteilen 97/9	to distribute
Verwandte, der/die, -n 70	relatives
Video, das, -s 16/3	video
viel (1), mehr, am meisten *(Ich telefoniere nicht viel.)* 59/14	much, more, most *(I don't talk much on the phone.)*

viel- (2), mehr, am meisten *(Es gibt viele Länder.)* 18	much, many, more, most *(There are many countries.)*
Viel Glück! 83/1	Good luck!
Viel Spaß! 71/3	Have fun!
viele Grüße 65/10	many greetings
Vielen Dank! 97/9	Many thanks!
vielleicht 28/14	perhaps, maybe
Viertel, das, – *(auch: 14:15 – Es ist Viertel nach zwei.)* 37/16	quarter *(It is a quarter past two.)*
Vogel, der, "– 47/10	bird
Vokabel, die, -n 26/8	vocabulary
Vokabelheft, das, -e 24/2	notebook for vocabulary
von (1) (+ *D.*) *(Das ist das Snowboard von Mario.)* 8/1	of *(This is Mario's snowboard / the snowboard of Mario.)*
von (2) *(Wir haben von Montag bis Freitag Schule.)* 33/5	from *(We have school from Monday to Friday.)*
vor (1) *(Wir beginnen kurz vor acht Uhr.)* 32/4	before *(We start shortly before eight o'clock.)*
vor (2) (+ *A./D.*) *(Die Haltestelle ist direkt vor meinem Haus.)* 91/1	in front *(The stop is directly in front of my house.)*
vorbei sein, es ist vorbei 114	to be over
vorbeikommen, er kommt vorbei 58/13	to stop by
vorlesen, er liest vor 20/13	to read aloud
Vormittag, der, -e 62/3	morning
Vorname, der, -n 65/9	first name
vorne 71/3	in front
Vorschlag, der, "-e 105	suggestion
Vorsicht, die *Sg.* 94/6	attention, care
vorsichtig 75/10	carefully
vorspielen, er spielt vor 49/14	to perform
vorsprechen, er spricht vor 70/2	to audition
vorstellen (1) (+ sich), er stellt sich vor *(Die Medien-AG stellt sich vor.)* 16/3	to introduce oneself *(The school film club introduces itself.)*
vorstellen (2), er stellt vor *(Ich stelle meine Schule vor.)* 38	to introduce *(I am introducing my school.)*
wach 96/9	awake
wählen 33/5	to vote, elect
wandern 104/14	to hike
wann? 33/7	when?
warten (+ auf + *A.*) 94/6	to wait
warum? 55/6	why?
Was für ein …! 111	What a …!
was? 8/1	what?
waschen, er wäscht 73/5	to wash
Wasser, das, – 53/2	water
wechseln 109/7	to change
Wecker, der, – 96/9	alarm clock
weg 48/11	away, gone
Weg, der, -e 94/6	way
weg sein, er ist weg 48/11	to be gone
wegfahren, er fährt weg 99/1	to drive away
weggehen (1), er geht weg *(Geh weg!)* 74/7	to go away *(Go away!)*
weggehen (2), er geht weg *(In der Woche geht sie fast immer weg.)* 110/11	to go out *(During the week she almost always goes out.)*
wehtun, er tut weh 86/6	to hurt
Weihnachten, das, – 83/1	Christmas
weiß (1) *(Ich weiß. = 1. Person Singular von „wissen")* → wissen	*(I know (a fact).)*
weiß (2) *(Es ist weiß und nicht rot.)* 46/4	white *(It is white and not red.)*
weit *(Das Kino ist nicht weit.)* 91/1	far *(The movie theater is not far.)*
weiter (1) *(Dann weiter geradeaus.)* 94/6	further *(Then further straight ahead.)*
weiter- (2) *(Sammelt weitere Beispiele.)* 28/15	more *(Collect more examples.)*
weitergehen, er geht weiter 35/11	to continue
welch- *(Welche Wörter kennt ihr?)* 13/11	which *(Which words do you know?)*
weltberühmt 51/18	world famous
Weltmeister, der, – 51/18	world champion
wem *(Was passt zu wem?)* 97/10	whom *(What matches with whom?)*
wen *(Wer besucht wen?)* 86/7	whom *(Who is visiting whom?)*
wenig 101/5	little, less
wenn 46/7	when, if

wer? 8/1	who?
werden, er wird 108/6	to become
Westen, der *Sg.* 99/1	west
Western, der, – 12/9	western movie
Wetter, das *Sg.* 103/10	weather
W-Frage, die, -n 28/15	w-question
wichtig 21/16	important
wie? (1) *(Wie heißt du?)* 10/4	how? *(What's your name?)*
wie (2) *(Macht ein Plakat wie im Beispiel.)* 17/5	as, like *(Make a poster as in the example.)*
wie (3) *(Wie langweilig!)* 55/5	how *(How boring!)*
Wie bitte? 11/5	Excuse me?
Wie geht's? 10/4	How are you?
wie viel? 36	how much?
wieder 58/13	again
wiederhaben, er hat wieder 97/9	to get back
wiederholen 71/3	to repeat
Wiedersehen, das, – 66/11	good-bye
Wien 9/1	Vienna
wieso? 112/15	why?
Winter, der, – 84/3	winter
wir 15/1	we
wissen, er weiß 8	to know
wo? 8/1	where?
Woche, die, -n 58	week
Wochenende, das, -n 55/6	weekend
Wochentag, der, -e 38	week day
woher? 18/8	from where?
wohin? 54	where to?
wohnen 16/3	to live, dwell
Wohnung, die, -en 72/4	apartment
Wohnzimmer, das, – 72/4	living room
wollen, er will 27/11	to want
Wort, ″-er 14	word
Wortakzent, der, -e 11/6	accented syllable
Wörterbuch, das, ″-er 24/2	dictionary
Wortliste, die, -n 36/15	word list
Wortschlange, die, -n 36/14	word chain
worum? *(Worum geht es in dem Kapitel?)* 15/1	about what *(What is the chapter about?)*
wunderbar 102/7	wonderful
wundern (+ sich) 97/9	to ask oneself
Wunsch, der, ″-e 83/1	wish
Würfelspiel, das, -e 50/16	game of dice
Wurst, die, ″-e 91/2	sausage
wütend 56/7	furious
Zahl, die, -en 9/2	number
zählen 38	to count
Zahn, der, ″-e 86/7	tooth
Zahnarzt, der, ″-e 108/4	dentist
Zahnärztin, die, -nen 108/4	female dentist
Zeichnung, die, -en 108/4	drawing
zeigen 24/2	to show
Zeile, die, -n 109/10	line
Zeit, die 29/18	time
Zeitung, die, -en 91/2	newspaper
Zentrum, das, Zentren 91/1	center
Zettel, der, – 96/9	piece of paper
Zeugnis, das, -se 31/2	report card
ziemlich 97/9	pretty much
Zimmer, das, – 48/11	room
Zirkus-AG, die, -s 61/1	circus festival
Zoo, der, -s 55/5	zoo
zu (1) *(Was passt zu den Fotos?)* 9/3	with *(What matches with the photos?)*
zu (2) *(Verbindet die Fantasiebilder zu schweren Nomen.)* 26/5	to, with *(Attach imaginary images to difficult nouns.)*
zu (3) *(Gehen wir zu Tom?)* 55/5	to *(Are we going to Tom's?)*
zu (4) *(Was gibt es zu essen?)* 89/14	to *(What's there to eat?)*
zu (5) *(Aber das ist zu weit!)* 105/16	too *(But that's too far!)*
zu dritt 48/11	in groups of three
zu Fuß 57/11	on foot
zu Hause *(Ich bin jetzt zu Hause.)* 15/1	at home *(I am now at home.)*
zu zweit 14	in pairs
zuerst 37/19	first
Zug, der, ″-e 100/2	train
Zuhause, das *Sg.* 69/1	home
zuhören, er hört zu 8/1	to listen to
zum (= zu dem) (+ *D.*) 29/18	to the
zum Beispiel (*Abk.* z. B.) 33/5	for example (e.g.)
Zungenbrecher, der, – 46/7	tongue twister
zuordnen, er ordnet zu 15/2	to assign, identify

zurück (1) *(Zurück auf Start.)* 63/5	back *(Back to the start.)*
zurück (2) *(Und 10 Cent zurück.)* 66/11	back; *here:* in return *(And 10 cents in return.)*
zurückfahren, er fährt zurück 56/7	to drive back
zurückkommen, er kommt zurück 111/13	to come back
zusagen, er sagt zu 60	to agree to something
zusammen (1) *(Nach der Schule spielen wir oft zusammen.)* 61/2	together *(After school we often play together.)*
zusammen (2) *(Alles zusammen?)* 102/7	together *(On one bill?)*
zusammen sein, er ist zusammen 61/2	to be together
zusammengehören, es gehört zusammen 99/1	to belong together
zusammenpassen, es passt zusammen 18/7	to fit together
zustimmen, er stimmt zu 106	to agree
Zustimmung, die, -en 105/16	agreement
zweimal 37/18	twice
zwischen (+ *A./D.*) 92/3	between

Anhang zur Wortliste

Unregelmäßige Verben im Präsens

abfahren	er fährt ab
ablesen	er liest ab
anfangen	er fängt an
anhalten	er hält an
auffallen	er fällt auf
aufschlagen	er schlägt auf
aufstehen	er steht auf
aussehen	er sieht aus
austragen	er trägt aus
backen	er bäckt/backt
behalten	er behält
dürfen	er darf
einladen	er lädt ein
einschlafen	er schläft ein
essen	er isst
fahren	er fährt
fernsehen	er sieht fern
geben	er gibt
gefallen	er gefällt
halten	er hält
helfen	er hilft
hinfahren	er fährt hin
können	er kann
lassen	er lässt
laufen	er läuft
lesen	er liest
losfahren	er fährt los
mitlesen	er liest mit
mögen	er mag
müssen	er muss
nachschlagen	er schlägt nach
nachsprechen	er spricht nach
nehmen	er nimmt
raten	er rät
schlafen	er schläft
sehen	er sieht
sein	er ist
sprechen	er spricht
sterben	er stirbt
tragen	er trägt
treffen	er trifft
vergessen	er vergisst
vorlesen	er liest vor
vorschlagen	er schlägt vor
vorsprechen	er spricht vor
waschen	er wäscht
wegfahren	er fährt weg
werden	er wird
wissen	er weiß
wollen	er will
zurückfahren	er fährt zurück

Zahlen

1	eins
2	zwei
3	drei
4	vier
5	fünf
6	sechs
7	sieben
8	acht
9	neun
10	zehn
11	elf
12	zwölf
13	dreizehn
14	vierzehn
15	fünfzehn
16	sechzehn
17	siebzehn
18	achtzehn
19	neunzehn
20	zwanzig
21	einundzwanzig
30	dreißig
40	vierzig
50	fünfzig
60	sechzig
70	siebzig
80	achtzig
90	neunzig
100	(ein)hundert
101	(ein)hunderteins
200	zweihundert
213	zweihundertdreizehn
1000	(ein)tausend
10 000	zehntausend
1 000 000	eine Million
1 000 000 000	eine Milliarde

Länder (Beispiele)

Albanien
Ägypten
Australien
Brasilien
China
Deutschland
England
Finnland
Frankreich
Griechenland
Indien
Iran, der
Irland
Italien
Japan
Kanada
Kenia
Norwegen
Österreich
Polen
Portugal
Russland
Schweden
Schweiz, die
Spanien
Türkei, die
Ungarn
USA, die

Sprachen (Beispiele)

Arabisch
Chinesisch
Deutsch
Englisch
Finnisch
Französisch
Griechisch
Italienisch
Japanisch
Kanadisch
Kroatisch
Norwegisch
Polnisch
Portugiesisch
Russisch
Schwedisch
Spanisch
Türkisch
Ungarisch

Stunde und Uhrzeiten

Uhr, die, -en
Uhrzeit, die, -en
Stunde, die, -n
halbe Stunde
Viertelstunde, die, -n
Minute, die, -n
Sekunde, die, -n

Tag und Tageszeiten

Tag, der, -e
Morgen, der, –
Vormittag, der, -e
Mittag, der, -e
Nachmittag, der, -e
Abend, der, -e
Nacht, die, "-e

Wochentage

Montag, der, -e
Dienstag, der, -e
Mittwoch, der, -e
Donnerstag, der, -e
Freitag, der, -e
Samstag, der, -e
Sonntag, der, -e

Monate

Januar
Februar
März
April
Mai
Juni
Juli
August
September
Oktober
November
Dezember

Jahr und Jahreszeiten

Jahr, das, -e
Jahreszeit, die, -en
Frühling, der, -e / Frühjahr, das, -e
Sommer, der, –
Herbst, der, -e
Winter, der, –

Farben

blau
braun
bunt
gelb
grau
grün
rosa
rot
schwarz
weiß

Familie

der/die Verwandte
der Vater / der Papa
die Mutter / die Mama
die Eltern *(Pl.)*
das Kind
der Sohn
die Tochter
der Bruder
die Schwester
die Geschwister *(Pl.)*
der Onkel
die Tante
der Großvater / der Opa
die Großmutter / die Oma
die Großeltern *(Pl.)*
die Enkel *(Pl.)*

Bildquellen Kursbuch

Cover Titelfoto: Korhan Isik/iStock Photo; Hintergrund: Aleksandar Velasevic/iStock Photo
U2 © Polyglott Verlag
S. 8 1, 6: Laif; 5: akg-images; 3: Getty Images; 2: dpa/picture-alliance; 4: BMW AG
S. 9 7, 10, 11: shutterstock.com; 9: Getty Images; 8: dpa/picture-alliance; 12: Fotolia.com
S. 10 oben: Getty Images; unten: DB AG/Max Lautenschläger
S. 12 Kinoplakat: dpa/picture-alliance; Videospiel, Eintrittskarten, Tennis, Golf, Pizza, Fußball, Hamburger, Telefon, DVD: Fotolia.com; Chips, CDs, PC, Western: B. Welzel; Cola: Pixelio
S. 13 Activision
S. 14 links: dpa/picture-alliance; mitte: Laif; rechts: shutterstock.com
S. 15 Klappe: Fotolia.com; a–e: E. Burger; Fußballspiel: S. Wenkums; Party, Schulweg, Schule, Park, Abendessen: aus Video geni@l klick A1
S. 16 oben links (Eva), oben rechts (Mario): aus Video geni@l klick A1; mitte (Jenny): E. Burger
S. 17 Collage oben: B. Welzel; mitte: E. Burger
S. 18 Flaggen: Fotolia.com; 4 Porträts, Klassenfoto: P. Pfeifhofer
S. 21 Gitarre: Pixelio; Manga: iStock Photo
S. 23 Dieter Mayr Photography
S. 24 f. B. Welzel
S. 27 Fotolia.com
S. 28 Spitzer: Fotolia.com; Füller, Lineal: M. Sturm; mitte links: S. Wenkums; mitte 3 Fotos: E. Burger; Hand: Fotolia.com
S. 29 P. Pfeifhofer
S. 31 A, B: dpa/picture-alliance; C, D: P. Pfeifhofer
S. 32 A, F: dpa/picture-alliance; B: Fotolia.com; C: Mauritius Images; D: B. Welzel; E: P. Pfeifhofer; unten (Mädchen): P. Pfeifhofer
S. 33 oben: P. Pfeifhofer; Stundenplan: B. Welzel
S. 34 E. Burger
S. 35 links, rechts: B. Welzel; mitte: Dieter Mayr Photography
S. 37 A, C–E: B. Welzel; B: Fotolia.com
S. 40 P. Pfeifhofer
S. 41 Fotolia.com
S. 42 P. Pfeifhofer
S. 44 1, 2, 3, 5: aus Video geni@l klick A1; 4: S. Wenkums
S. 45 1–5, 7–8: Fotolia.com; 6: Mauritius Images
S. 46 1: E. Burger; 2: Fotolia.com; 3: Mauritius Images
S. 47 shutterstock.com
S. 50 P. Pfeifhofer
S. 51 oben (5 Hunde): Fotolia.com; Hund in Dusche: M. Sturm; Hund bei Haarschnitt, Hund mit Schleifen, Hund mit Kleidung: dpa/picture-alliance; Hundespielzeug, Hundefutter: Fotolia.com
S. 53 Comic: Helen von Allmen
S. 54 1, 6, 7, 8: shutterstock.com; 2: Getty Images; 3, 4: dpa/picture-alliance; 5: Mauritius Images; unten (Prado, Brotspezialitäten): dpa/picture-alliance
S. 55 P. Pfeifhofer
S. 58 P. Pfeifhofer
S. 59 P. Pfeifhofer
S. 61 Fußball, Kickern, Shoppen, Gitarre: Corbis; Karten spielen: iStock Photo; Freizeitpark, Clown: shutterstock.com; Comic lesen: Mauritius Images
S. 64 Corbis
S. 65 Tote Hosen: Action Press; Krokodil im Nacken: Beltz & Gelberg in der Verlagsgruppe Beltz; Trompete: Fotolia.com; Marcel, Rugby: shutterstock.com
S. 66 gr. Foto: t3-s, Jörg Kruse, Paderborn & Cornelia Pade, Pade OHG, Paderborn; 2 kl. Fotos: Dieter Mayr Photography
S. 67 Tasche, Schuhe, T-Shirts: Fotolia.com; rosa Haare: Mauritius Images; Fahrrad: shutterstock.com
S. 69 Mutter, Melanie, Opa: Fotolia.com; Marius: shutterstock.com; Haus, Motorrad: iStock Photo; Zimmer: Bettina Lindenberg; Polizist: Mauritius Images; Katzen: Pixelio; Freundinnen: P. Pfeifhofer
S. 70 1, 2: dpa/picture-alliance; 3: CARLSEN Verlag GmbH; 4: iStock Photo; 5: Corbis
S. 72 1: Corbis; 4, 5: Fotolia.com; 2: shutterstock.com; 3, 6: B. Welzel
S. 73 Familie im Sessellift, Kind mit Papagei, älteres Paar: Fotolia.com; Kinder mit Sand: Pixelio
S. 74 B. Welzel
S. 76 Fotolia.com
S. 78 Spaghetti: dpa/picture-alliance; Comic: Getty Images; Schuhe, Reisepass: iStock Photo; Kinokarte: Pixelio; Klavier, Basketball, Computerspiel: shutterstock.com; Radfahrer: Fotolia; Mädchen mit Hund: E. Burger
S. 79 Pfanne: Corbis; Wohnzimmer, Bad: Fotolia.com; Grundriss: shutterstock.com; Bett, Schild: B. Welzel; Temperatur, Schachfiguren: iStock Photo
S. 80 Mädchen mit Hund, Mann unten: Fotolia.com; Mädchen unten: shutterstock.com
S. 81 S. Wenkums
S. 82 2 Fotos: aus Video geni@l klick A1
S. 83 B: Corbis; C: P. Pfeifhofer; D: E. Burger; E: Dieter Mayr Photography; F: Caro; G: Fotolia.com
S. 84 shutterstock.com
S. 85 Handys: shutterstock.com; Mädchen mit Telefon: Dieter Mayr Photography
S. 86 Dieter Mayr Photography
S. 87 2 Jugendliche mit Telefon: shutterstock.com
S. 88 P. Pfeifhofer
S. 89 Radfahrer, Fahrrad: Fotolia.com; Fachwerkstadt: Zoonar.de; New York, Brad Pitt: shutterstock.com
S. 93 P. Pfeifhofer
S. 94 Kreuzung: B. Welzel; Junge und Mädchen: Dieter Mayr Photography
S. 97 Klassenarbeit: T. Scherling
S. 99 A: Pixelio; B: Friedrich Haun; C, D: Fotolia.com; E: Look; F: Lindt; G, Kompass: shutterstock.com; H: M. Koenig; Karte: Polyglott Verlag
S. 100 Suppe: StockFood; Wecker: shutterstock.com; Tarzan-Schiff, Jugendherberge: M. Koenig
S. 101 Jugendherbergsausweis, Jugendherberge Schloss Ortenberg: DJH Deutsches Jugendherbergswerk; Burg Stahleck: dpa/picture-alliance
S. 102 M. Koenig
S. 103 A, B, C: shutterstock.com; Briefmarke, D: Fotolia.com
S. 104 Bodensee: dieKLEINERT.de; Schwarzwald: iStock Photo; Spanien: Artpartner-Images; Meer: Pixelio; Reichstag, Alpen: shutterstock.com
S. 105 Dieter Mayr Photography
S. 108 A–E: Fotolia.com
S. 109 Koch, Restaurant, Saltimbocca: shutterstock.com; 1, 2, 3: V. Daly
S. 110 shutterstock.com
S. 111 alle Fotos: Dieter Mayr Photography
S. 112 shutterstock.com
S. 113 1, 3, 4: shutterstock.com; 2: Fotolia.com
S. 118 Restaurant: shutterstock.com; Fastfood: Ullstein Bild
S. 119 Suppe: StockFood; Meer: Pixelio; Berge, Junge mit Telefon: shutterstock.com; Erwachsener und Kind: Fotolia.com
S. 120 alle Fotos: aus Video geni@l klick A1

In einigen Fällen ist es uns trotz intensiver Bemühungen nicht gelungen die Rechteinhaber zu ermitteln. Für entsprechende Hinweise wären wir dankbar.